L

CY

THE BLACK BOOK OF THE NEW WALES

LLYFR DU CYMRU FYDD

THE BLACK BOOK OF THE NEW WALES

Dros Gymru well

Llywelyn ap Gwilym,
Caerdydd, Ionawr 2021

Argraffiad cyntaf: 2021

Cynllun y clawr: Llywelyn ap Gwilym
Llun y clawr: Llywelyn ap Gwilym

Rhif Llyfr Rhyngwladol: 978 1 80099 040 1

Cyhoeddwyd ac argraffwyd yng Nghymru
ar bapur o goedwigoedd cynaladwy gan
Y Lolfa Cyf., Talybont, Ceredigion SY24 5HE
e-bost ylolfa@ylolfa.com
gwefan www.ylolfa.com
ffôn 01970 832 304
ffacs 01970 832 782

I Skye, Mali a Taliesin

Cynnwys | Contents

LLYFR DU CYMRU FYDD

Dros Gymru well

Rhagair

> "I'r rhai sy'n credu fod a wnelo iwtopia â'r amhosib, yr hyn sy'n wirioneddol amhosib yw dal ati fel rydym ni."
>
> *Ruth Levias*[1]

Mae'r pamffled hwn wedi'i ysgrifennu mewn ysbryd meddwl iwtopaidd: ei bwrpas yw cwestiynu'r *hyn sydd*, a rhagweld *beth all fod*. Mae rhai o'r syniadau a gyflwynir yn wyriad radical o'r *status quo*, tra bod eraill yn dod yn rhan o feddwl confensiynol y chwith. Yn yr un modd, mae gan rai gynseiliau mewn sefydliadau a chyfundrefnau presennol neu mewn rhai a fu, tra bod eraill ond wedi cael eu treialu, neu heb fodoli eto. Er bod y manylion ynghylch sut y gallwn gyrraedd o'r *fan hon* i'r *fan honno* yn bwysig, mewn gwirionedd yn hanfodol os ydym byth am gyrraedd y gyrchfan honno, y prif nod i ddechrau yw disgrifio sut olwg allai fod ar *fan honno*.

Fel mae Rhuanedd Richards yn disgrifio dull y diweddar AC Steffan Lewis: "ei feddylfryd bob amser oedd bod angen trechu anobaith neu ddifaterwch drwy gyflwyno syniadau newydd a gweledigaeth glir."[2] Y pamffled hwn yw fy ymgais innau i wneud hynny.

---

1 Ruth Levitas, *Utopia as Method* (txii)

2 Rhuannedd Richards, *Gwladgarwr Gwent* (t41)

Gwirebau

"An absence is how we become surer
of what we want"

R. S. Thomas[3]

Yng Nghymru Fydd bydd gan bawb hawl cyfartal i'r dulliau materol, cymdeithasol a diwylliannol sy'n angenrheidiol i fyw bywyd llewyrchus; bydd gan genedlaethau'r dyfodol o leiaf yr un hawl â'r genhedlaeth bresennol.

Yng Nghymru Fydd bydd gan bawb hawl cyfartal i'r dulliau angenrheidiol i gymryd rhan ystyrlon mewn penderfyniadau sy'n effeithio ar eu bywydau.

Yng Nghymru Fydd bydd pobl yn cydweithredu gyda'i gilydd oherwydd ymrwymiad gwirioneddol i les pobl eraill, a'r ymdeimlad mai dyna'r peth iawn i wneud.

---

[3] R. S. Thomas, *Identity, Environment, Deity* (t178)

Rhagymadrodd

"Dim ond argyfwng – gwirioneddol neu ganfyddedig – sy'n achosi newid go iawn. Pan fydd yr argyfwng hwnnw'n digwydd, mae'r camau a gymerir yn dibynnu ar y syniadau sydd ar gael. Dyna, yn fy marn i, yw ein swyddogaeth sylfaenol: datblygu dewisiadau amgen i'r polisïau presennol, eu cadw'n fyw ac ar gael nes bydd yr amhosib yn wleidyddol yn dod yn anochel yn wleidyddol."

Milton Friedman[4]

"Mae'n anoddach o lawer llunio gofynion unoli o amgylch dewisiadau amgen cadarnhaol nag o amgylch datgymalu'r trefniadau gormesol presennol."

Erik Olin Wright[5]

Mae angen Cymru newydd: nid yw'r sefyllfa bresennol yn ddaliadwy. Mae Cymru'n wlad gyfoethog, ond mae ei phobl yn byw mewn tlodi. Er ein bod yn rhan o'r bumed economi fwyaf yn y byd, mae chwarter o'n pobl yn byw mewn tlodi. Mewn rhai ardaloedd mae cyfran y plant sy'n byw mewn tlodi

4 Milton Freedman, *Capitalism and Freedom* (tix)
5 Erik Olin Wright, *How to Be an Anticapitalist in the 21st Century* (tt65-66)

yn un o bob dau. Mae cynhyrchiant Cymru, fel y'i mesurir gan ychwanegiad gwerth crynswth (*gross value added*) y pen, yn llai na thri chwarter cyfartaledd y DU, tra bod cynhyrchiant Dinas Llundain 24 gwaith yn fwy na'n rhanbarth dlotaf, Ynys Môn.[6] Mae Cymru yn allforiwr net ar ynni, ond mae cymunedau'n byw mewn tlodi tanwydd. Mae ein disgwyliad einioes yn gostwng. Mae'r gyfradd hunanladdiad yn cynyddu, yn enwedig ymysg pobl ifanc. Mae'r DU yn methu Cymru, ac mae Cymru yn methu ei dinasyddion.

Er hynny, nid yw hyn yn anochel. Mae Cymru newydd yn bosibl. Cymru newydd sy'n llewyrchus, sy'n garedig, sy'n deg ac sy'n gynaliadwy.

Mae newid yn dod: mae hyn yn anochel. Mae'r argyfwng cyfansoddiadol a ddechreuodd gyda refferendwm annibyniaeth yr Alban yn 2014 ac a atgyfnerthwyd gan bleidlais Brexit, wedi cael ei amlygu'n eglur gan y pandemig coronafeirws wrth i ddinasyddion y tair gwlad ddatganoledig weld bod buddion cyffyrddadwy a choncrid mewn hunanlywodraeth. Mae'r Alban yn gorymdeithio tuag at annibyniaeth, ac mae'r galwadau am bleidlais a fydd yn arwain at ailuno Iwerddon yn cynyddu bob dydd. Yn fuan iawn, byddwn ni yng Nghymru yn wynebu'r dewis amlwg: cael ein hymgorffori o fewn Lloegr Fwy, Lloegr sy'n troi i mewn arni'i hun, neu "hawlio ein lle fel cenedl gyfartal ymhlith cenhedloedd Ewrop a gweddill y byd."[7] Mae'r cyn-Brif Weinidog Carwyn Jones wedi dweud na fydd "dim dyfodol i Gymru a Lloegr" os bydd Gogledd Iwerddon a'r

6 ONS, *Regional economic activity by gross value added (balanced), UK: 1998 to 2017*

7 Adam Price, araith adeg gorymdaith AUOBCymru dros annibyniaeth, Mai 2019, Caerdydd

Alban yn gadael y DU, ac y "gallwn fod yn annibynnol heb fynnu hynny" os bydd Lloegr yn penderfynu mynd ar ei phen ei hun.[8] Ond os annibyniaeth, beth wedyn?

Mae'r pamffled hwn yn ceisio ateb y cwestiwn hwnnw, trwy ganfod gweledigaeth amgen gadarnhaol ar gyfer Cymru Fydd. Y nod yw disgrifio'r math o wlad y gallai Cymru fod. Mae angen y weledigaeth hon o Gymru well pan fydd Cymru yn ennill ei hannibyniaeth, pan fydd sioc tranc y DU yn ein bwrw, fel y gallwn osgoi'r camgymeriad o ddyblygu anghydbwysedd, anghydraddoldebau ac annhegwch y DU, er ar raddfa lai. Mae angen y weledigaeth hon o Gymru Fydd er mwyn i Gymru ddod yn wir annibynnol pan fydd yn ennill ei hannibyniaeth.

> "Mae annibyniaeth go iawn yn gyfnod o greadigaeth newydd a gweithredol: pobl yn ddigon sicr ohonynt eu hunain er mwyn gollwng eu beichiau, gan adnabod y gorffennol fel y gorffennol, fel hanes y gellir ei siapio, ond gydag ymdeimlad hyderus newydd o'r presennol a'r dyfodol, lle mae'r ystyron a'r gwerthoedd pendant yn cael eu gwneud."
>
> *Raymond Williams*[9]

[8] Carwyn Jones: Cymru 'ddim yn rhy dlawd i fod yn annibynnol', Awst 2019, BBC Cymru

[9] Raymond Williams, *Who Speaks for Wales? Nation, Culture, Identity* (t9)

Gwerthoedd normadol y chwyldro Cymreig[10]

> "Mae pob chwyldro llwyddiannus yn y gorffennol wedi bod yn chwyldro neilltuolaidd gan ddosbarthiadau lleiafrifol yn ceisio hawlio eu buddiannau penodol eu hunain dros fuddiannau'r gymdeithas gyfan."
>
> *Murray Bookchin*[11]

> "Gall y chwyldro cyffredinoledig greu cymuned unedig, amlochrog, yn organig."
>
> *Murray Bookchin*[12]

Chwyldro cyffredinoledig fydd chwyldro Cymru – cyflawn a chyfan. Ni fydd ar gyfer y dosbarthiadau lleiafrifol, ni fydd yn ôl y mwyafrif, yn hytrach bydd yn ôl ac ar gyfer cyfanrwydd y boblogaeth. Canlyniad y chwyldro fydd bod gan bawb y dulliau materol, cymdeithasol a diwylliannol i fyw bywyd hapus, ystyrlon a boddhaus – bywyd llewyrchus. Bydd tegwch yn ganlyniad angenrheidiol i natur gyfranogol y chwyldro. O ganlyniad, bydd pobl yn cydweithredu

---

[10] Trwy'r pamffled hwn, bydd yr ymadrodd "chwyldro" yn cael ei ddefnyddio yn ei ystyr gymdeithasegol ehangach fel newid yn strwythur a natur cymdeithas.

[11] Murray Bookchin, *Post-Scarcity Anarchism* (t2)

[12] Murray Bookchin, *Post-Scarcity Anarchism* (t2)

â'i gilydd, yn lle cystadlu, a hyn oherwydd ymdeimlad dwfn mai dyna'r peth iawn i'w wneud. Dyma'r tri gwerth normadol y bydd Cymru Fydd yn cael ei hadeiladu arnynt: tegwch, democratiaeth a chymuned.[13]

Tegwch

Mae gan Gymru hanes hir o sefyll dros werthoedd cydraddoldeb a thegwch. Bu terfysg Merched Rebecca yn ganlyniad i annhegwch canfyddedig y tollbyrth a'r trethi uwch, cododd Merthyr oherwydd yr annhegwch oedd ymhlyg mewn gostyngiadau cyflog a diswyddiadau yn y gwaith haearn, tra sefydlodd Aneurin Bevan y GIG i roi hawl cyfartal i ofal iechyd i bawb. Mae cydraddoldeb a thegwch yn ein hanes ac yn ein DNA.

Ond beth yn union yw cydraddoldeb a beth yw tegwch? Nid yw cydraddoldeb yn ymwneud â sicrhau canlyniadau cyfartal neu gyfle cyfartal, ond yn hytrach mae'n ymwneud â sicrhau hawl cyfartal i'r holl ddulliau sy'n angenrheidiol i fyw bywyd hapus, ystyrlon a boddhaus. Yn fras, mae tegwch yn ymwneud â sicrhau nad oes neb yn cael ei drin yn wahanol neu'n llai ffafriol oherwydd rhyw, hil, anabledd neu unrhyw briodoledd moesol amherthnasol arall. Mae'n ymwneud â phawb yn cael hawl cyfartal i'r dulliau hyn, ta waeth pwy ydynt nac o ble maent yn dod. O ganlyniad felly, rhaid ystyried cydraddoldeb a thegwch ar draws cenedlaethau.

Fel y trafodwyd yn y rhagymadrodd i'r pamffled hwn,

---

[13] Trwy'r holl bamffled bydd "cymuned" yn cael ei defnyddio i olygu unrhyw uned gymdeithasol lle mae pobl yn teimlo solidariaeth a rhwymedigaethau i'w gilydd. Er yn aml yn wir, nid oes angen i "gymuned" gael ei gwreiddio yn ddaearyddol.

ar hyn o bryd mae Cymru yn gymdeithas annheg iawn. Yn lle gofyn sut mae Cymru yn annheg, y cwestiwn mwyaf perthnasol yw pam mae Cymru yn annheg?

Mae'r naill lywodraeth ar ôl y llall yn y DU wedi canolbwyntio buddsoddiad a chyfle, ac o ganlyniad cyfoeth a dylanwad, ar de-ddwyrain Lloegr, ar draul rhanbarthau a chenhedloedd ymylol y DU, a, thrwy ddinistrio'r amgylchedd, er anfantais i genedlaethau'r dyfodol. Yn ideolegol, mae'r DU yn un o'r cymdeithasau mwyaf neoryddfrydol o'r holl gymdeithasau cyfalafol,[14] ac felly o ystyried y tensiwn cynhenid rhwng y rhai sy'n

---

[14] Defnyddir y termau "cyfalafiaeth", "sosialaeth" a "gwladoliaeth" i ddisgrifio tri math amgen o strwythur economaidd – tri dull i "drefnu'r cysylltiadau pŵer y mae adnoddau economaidd yn cael eu dyrannu, eu rheoli a'u defnyddio." (t120)

"Mae cyfalafiaeth yn strwythur economaidd lle mae'r dulliau cynhyrchu yn eiddo preifat ac mae dyraniad yr adnoddau at wahanol ddibenion cymdeithasol yn cael ei gyflawni trwy arfer pŵer economaidd. Mae buddsoddiadau a rheoli cynhyrchu yn ganlyniad i arfer pŵer economaidd gan berchnogion cyfalaf." (t120)

"Mae gwladoliaeth yn strwythur economaidd lle mae'r wladwriaeth yn berchen ar y dulliau cynhyrchu ac mae dyraniad a defnydd yr adnoddau at wahanol ddibenion cymdeithasol yn cael ei gyflawni trwy arfer pŵer y wladwriaeth. Mae swyddogion y wladwriaeth yn rheoli'r broses fuddsoddi a'r cynhyrchu trwy ryw fath o fecanwaith gweinyddol a weithredir gan y wladwriaeth." (t120)

"Mae sosialaeth yn strwythur economaidd lle mae'r dulliau cynhyrchu yn eiddo cymdeithasol ac mae dyrannu a defnyddio'r adnoddau at wahanol ddibenion cymdeithasol yn cael ei gyflawni trwy arfer yr hyn y gellir ei alw'n 'bŵer cymdeithasol'... pŵer sydd â'i rym yn ei allu i ysgogi pobl i weithredu mewn sawl modd cydweithredol a gwirfoddol mewn cymdeithas sifil." (t121)

Gan ddefnyddio'r diffiniadau hyn, mae'n amlwg nad oes unrhyw economi go iawn heddiw a fu ar un adeg yn un bur gyfalafol, pur wladol nac yn un bur sosialydd. Yn lle hyn mae pob economi yn gymysgedd o'r tri newidyn. "Mae defnyddio'r ymadrodd syml 'cyfalafiaeth' heb ei addasu... felly yn llaw-fer ar gyfer rhywbeth fel 'strwythur economaidd hybrid lle mae cyfalafiaeth yn brif ffordd o drefnu gweithgaredd economaidd ynddo.'" (t125) Am ddisgrifiad manylach gweler pennod 5 yn *Envisioning Real Utopias* gan Erik Olin Wright

berchen ar gyfalaf a'r rhai sydd ddim, a'r anghydbwysedd rhwng pŵer llafur a phŵer cyfalaf, nid yw'n syndod bod anghydraddoldeb mawr yn bodoli: mae'r cyfoethogion yn gyfoethog, yn rhannol, oherwydd bod y tlodion yn dlawd. Roedd yr economeg *trickle-down* (fel y'i gelwir) i fod i dynnu'r rheini ar waelod cymdeithas i fyny, ond mae wedi methu'n llwyr: yn ôl comisiwn symudedd cymdeithasol Llywodraeth y DU ei hun, mae anghydraddoldeb bellach wedi ei "blannu o adeg geni i'r adeg gweithio", gyda symudedd cymdeithasol yn aros yn yr unman yn ystod bron pob cyfnod o fywyd.[15] Rydym yn gweld yr anghydraddoldeb hwn ar lefel y DU rhwng cenhedloedd a rhanbarthau, ond hefyd ar lefel fwy lleol o fewn cenhedloedd a rhanbarthau.

Yng Nghymru, ar ôl ugain mlynedd o ddatganoli, ac er gwaethaf tra-arglwyddiaeth ddi-dor y Blaid Lafur (sydd â'i gogwydd tua'r chwith) yn y polau, mae'r Senedd wedi defnyddio ei phwerau cyfyngedig i ail-greu'r anghydraddoldeb hwn. Mae anghydraddoldeb llwyr yn amlwg yn ddaearyddol, a thrwy strwythur ein cymdeithas. Er enghraifft, mae'r ffocws ar Gaerdydd, er anfantais i weddill y wlad, wedi arwain at alltudiad ieuenctid o'r Fro Gymraeg oherwydd diffyg buddsoddiad ac o ganlyniad i ddiffyg cyfleoedd. Mae'r ffocws ar fuddsoddiad uniongyrchol o dramor wedi dod â swyddi ansicr, efo cyflogau isel sydd ag angen sgiliau isel, i ardaloedd ôl-ddiwydiannol de Cymru ar gost gyhoeddus anferth. Mae'r dull presennol wedi methu.

Pam mae'r anghydraddoldeb hwn yn bwysig? Fel y trafodwyd yn helaeth gan Richard Wilkinson a Kate Pickett

---

[15] Llywodraeth y DU, Comisiwn Symudedd Cymdeithasol

yn eu llyfr *The Spirit Level*, uwchlaw lefelau isel o gynnyrch mewnwladol crynswth (CMC), sef lefelau llawer is nag sydd gennym yng Nghymru heddiw, mae cymdeithas sydd yn fwy anghyfartal yn arwain at ganlyniadau iechyd a chymdeithasol sy'n waeth na chymdeithas fwy cyfartal, waeth beth yw lefel cyfartalog y ffyniant. Mae'r DU, er ei bod yn gymdeithas lewyrchus iawn, hefyd yn anghyfartal iawn, sy'n arwain at ganlyniadau gwaeth i bawb. Felly gellir gweld anghydraddoldeb sy'n anhygoel o annheg.

Bydd Cymru Fydd yn deg ac yn gyfartal oherwydd bydd gan bob dinesydd hawl cyfartal i'r dulliau materol, cymdeithasol a diwylliannol i fyw bywyd llewyrchus, ni waeth ble maent yn byw, pa iaith maent yn ei siarad, eu rhyw neu gyfeiriadedd rhywiol, eu hethnigrwydd, eu golwg neu anabledd. Bydd gan genedlaethau'r dyfodol o leiaf yr un hawl i'r dulliau hyn i fyw bywyd llewyrchus â'r genhedlaeth bresennol.

Tegwch sy'n gyrru'n uniongyrchol y ddau werth normadol arall, sef democratiaeth a chymuned. Mewn cymdeithas deg ni fydd y math o ecsbloetio sy'n sail i gymdeithasau cyfalafol. Tra bod "ansawdd cysylltiadau cymdeithasol yn dirywio mewn cymdeithasau llai cyfartal"[16] a "chymdeithasgarwch fel y'i mesurir o ran cryfder bywyd cymunedol... yn dirywio",[17] heb yr angen i ennill ar draul pobl eraill byddwn yn gweld yr effaith groes: bydd teimladau o gydweithrediad, undod a chymuned yn cryfhau ac yn gwreiddio. Ac mewn cymdeithas deg bydd gan bobl "awtonomiaeth o ran cael reolaeth ystyrlon dros

[16] Richard Wilkinson and Kate Pickett, *The Spirit Level* (t51)
[17] Richard Wilkinson and Kate Pickett, *The Spirit Level* (t199)

eu bywydau eu hunain"[18] – un o'r dulliau cymdeithasol i fyw bywyd llewyrchus. Mae gwir fodolaeth yr awtonomiaeth hon yn arwain yn uniongyrchol at y math o ddemocratiaeth gyfranogol a drafodir nesaf.

Democratiaeth

Ar 4 Tachwedd 1839 gorymdeithiodd 10,000 o Siartwyr drwy Gasnewydd yn galw am chwech peth, yn eu plith yr hawl i bleidleisio ar gyfer pob dyn dros un ar hugain oed. Dyma ddechreuad democratiaeth gynrychioliadol, ond nid gwir democratiaeth.

Felly pam na ellir ystyried Cymru yn ddemocratiaeth? Mae Cymru yn ddemocratiaeth gynrychioliadol mewn enw, yn yr ystyr ei bod yn ethol cynrychiolwyr sy'n eistedd yn Nhŷ'r Cyffredin y DU, yr hanner democrataidd o senedd ddwysiambraidd y DU. Fodd bynnag, yn ein sefyllfa bresennol, nid yw Cymru ddim ond yn ethol 40 AS allan o'r cyfanswm o 650, ac felly mae'n cael y llywodraeth y mae'r mwyafrif (Seisnig) yn pleidleisio drosti. Er enghraifft, nid yw Cymru erioed wedi pleidleisio dros lywodraeth Geidwadol ond bu'n rhaid iddi ddioddef ymosodiadau difrifol o dan Thatcher yn ogystal â stranciau Cameron, May a Johnson. Yn wir, fel y gwnaed yn hynod amlwg gan Dryweryn, hyd yn oed pan oedd cynrychiolwyr etholedig o Gymru bron yn unfrydol yn eu gwrthwynebiad, llwyddodd dymuniadau mwyafrif Lloegr i ennill y dydd, a boddwyd cwm, a dinistriwyd cymuned, a bu farw rhan fach o'r diwylliant brodorol.

Ond beth am ddatganoli? Mae Daniel Evans yn datblygu'r ddadl nad oedd datganoli "wedi'i gynllunio i adfywio

---

[18] Erik Olin Wright, *How to Be an Anticapitalist in the 21st Century* (tt12-13)

democratiaeth yng Nghymru... Ni chafodd ei gynllunio i arwain at ragor o bwerau."[19] Fel enghraifft glasurol o Chwyldro Goddefol Gramsciaidd, cynlluniwyd datganoli i gynnal y sefyllfa fel y mae.

Yn fwy sylfaenol, a llawn mor bwysig, mae'r ffaith nad yw pleidlais pawb yr un mor bwysig. Mae'r system hynafol "y cyntaf heibio'r postyn" yn San Steffan yn golygu bod cyfran sylweddol o bleidleisiau'r etholwyr yn ddiystyr o ran canlyniad, gan adael cyfran sylweddol o'r etholwyr yn ddi-lais. Ond yn fwy sylfaenol fyth, nid yw democratiaeth gynrychioliadol ond yn rhywbeth sy'n ffinio ar fod yn wir ddemocratiaeth, yn enwedig mewn cymdeithas gyfalafol, gan ei bod yn agored i lygredd a buddiannau breintiedig. Mae modd i gynrychiolwyr etholedig gael eu dylanwadu gan fuddiannau'r elît cul cyfalafol, ac mae hyn yn arwain at greu elît gwleidyddol hunangeisiol, sy'n hyrwyddo buddiannau eu cefnogwyr er mwyn hyrwyddo eu buddiannau eu hunain. Dyma sefyllfa, fel yn y DU, sy'n gwaethygu pan fo rhannau sylweddol o'r cyfryngau yn eiddo i'r elît bach hwn, sydd yn mynd ati'n fwriadol i gadw'r etholwyr yn anwybodus neu i'w camarwain.

Y gwrthwenwyn yw ddemocratiaeth wir, gyfranogol. "Mae cymdeithas ddemocrataidd... yn mynnu y dylai pobl allu cymryd rhan yn ystyrlon ym mhob penderfyniad sy'n effeithio'n sylweddol ar eu bywydau... Nid yw hyn yn awgrymu bod pawb mewn gwirionedd yn cymryd rhan yn gyfartal mewn cyd-benderfyniadau, ond nad oes unrhyw rwystrau cymdeithasol anghyfartal i'w cyfranogiad."[20] Mae

---

[19] Daniel Evans, Devolution's passive revolution, IWA

[20] Erik Olin Wright, *How to Be an Anticapitalist in the 21st Century* (t16)

cymdeithas wirioneddol ddemocrataidd yn gymdeithas lle mae pobl yn gwneud, neu maent yn rhan o wneud, penderfyniadau ynghylch y pethau sy'n effeithio arnynt. Os yw penderfyniad yn effeithio ar un person yn unig, yna dylen *nhw eu hunain* allu gwneud y penderfyniad hwnnw heb ymyriad. Os yw penderfyniad hefyd yn effeithio ar bobl eraill, yna dylent i gyd fod yn bartïon i'r penderfyniad, neu gytuno i adael i'r lleill wneud penderfyniadau ar eu rhan nhw. Yn amlwg, er mwyn i bobl allu arfer eu hawl ddemocrataidd mewn ffordd wybodus "mae gwleidyddiaeth angen cyfryngau annibynnol... Nid yw rhyddid gwybodaeth yn hawl i'r unigolyn yn unig. Mae hefyd yn cynnwys dimensiwn cymdeithasol."[21]

Felly, yng Nghymru Fydd bydd gan bawb hawl gyfartal i'r dulliau angenrheidiol i gymryd rhan ystyrlon mewn penderfyniadau sy'n effeithio ar eu bywydau. Bydd pŵer gwleidyddol ac economaidd y wladwriaeth ganolog yn cael ei ddileu. Bydd pŵer yn cael ei ddatganoli i'r lefel isaf posibl. Bydd pobl yn ymwneud yn uniongyrchol â'r math hwn o hunan-lywodraeth.

Mae democratiaeth yn gyrru'r ddau werth normadol arall, sef tegwch a chymuned. Mae system lle mae gan bobl lais ystyrlon ar y penderfyniadau sy'n effeithio arnyn nhw yn un sy'n deg wrth reddf, ac mae grŵp o bobl sy'n cydweithredu i wneud penderfyniadau sy'n effeithio ar yr holl grŵp yn sail i gymuned. Fel y nododd Abdullah Öcalan, "mae gwleidyddiaeth ddemocrataidd, trwy roi cyfle i garfanau a hunaniaethau gwahanol o fewn cymdeithas fynegi eu hunain ac i ddod yn rymoedd gwleidyddol,

[21] Abdullah Öcalan, *War and Peace in Kurdistan* (t36)

yn diwygio'r gymdeithas wleidyddol ar yr un pryd. Mae gwleidyddiaeth yn dod yn rhan o fywyd cymdeithasol unwaith eto."[22] Trafodwn gymuned nesaf.

Cymuned

Mae Cymru'n cynnwys llu o gymunedau a grwpiau affinedd, yn seiliedig ar iaith, daearyddiaeth a llu o ffactorau eraill. Mae'r cymunedau hyn wedi eu creu trwy hanesion a rennir, ac yn cael eu siapio gan brofiad byw a chyd-obeithion. Er yn aml gellir defnyddio gwahaniaethau i geisio ein gwahanu ac i greu gwrthdaro yn ein plith – er enghraifft y gogledd yn erbyn y de, neu'r rhai a anwyd yng Nghymru yn erbyn y rhai a anwyd dramor – mae Cymru fel endid yn rhannu cryn dipyn o ddiwylliant sy'n gyffredin rhyngom, yn ogystal â chyd-orffennol a dyfodol a rennir. Fel y mae ein tîm pêl-droed yn dweud mor huawdl, "gyda'n gilydd yn gryfach".

Yn ystod cyfnodau arferol gall gwerth cymuned droi'n eithaf tenau, o ran dieithriaid mewn llefydd pell, a hefyd o ran pobl sy'n agosach at adref. Dyma effaith uniongyrchol grymoedd hunan-les economaidd a phrynwriaeth wedi'i phreifateiddio. Cymhelliant cyfalafiaeth yw hunan-les economaidd, gan osod unigolion mewn cystadleuaeth ag unigolion eraill i greu enillwyr a chollwyr – agwedd sydd wrth reswm yn erydu undod cymunedol. Mae cyfalafiaeth hefyd yn hyrwyddo diwylliant o brynwriaeth wedi'i phreifateiddio, lle mae boddhad bywyd nid yn unig yn dibynnu ar dreuliant personol sydd wastad yn cynyddu, ond lle mae cyd-dreuliant yn cael ei ystyried yn ostyngiad mewn treuliant personol.

[22] Abdullah Öcalan, *Democratic Confederalism* (t24)

Yn ystod cyfnodau anarferol, gall gwerth cymuned ddangos ei ochr dywyll, lle mae ffiniau anhyblyg yn cael eu diffinio rhwng y rhai sydd ar y tu mewn a'r rhai ar y tu allan, ac mae gwerthoedd y rhai ar y tu mewn yn cael eu dal mewn cyferbyniad â'r rhai ar y tu allan, ac er mwyn eu heithrio. Tra bod y tensiynau hyn yn amlwg yn hanes Cymru, er enghraifft y terfysgoedd hiliol yng Nghaerdydd ym 1919, yr hyn sy'n amlwg hefyd yw croesawu ymfudwyr, ers y cyfnod y rhoddwyd croeso i ymfudwyr o Loegr ac Iwerddon i faes glo de Cymru yn y 19eg ganrif, hyd heddiw gyda'r ffoaduriaid o Syria. Mae ein cryfder yn ein hamrywiaeth: gyda'n gilydd rydym yn gryfach.

Pam mae ymdeimlad cryf o gymuned yn bwysig? Disgrifiodd Murray Bookchin "y banaleiddio a'r tlodi profiad mewn… cymdeithas fawr amhersonol."[23] Ond mae pwysigrwydd cymuned yn mynd yn ddyfnach na thlodi profiad yn unig, er heb os, dyma un effaith bwysig. Mae cyfalafiaeth yn gosod enillwyr yn erbyn collwyr mewn amgylchedd o ofn ac ansicrwydd, sydd wedi arwain at hyrwyddo buddiannau'r unigolyn uwchlaw undod a chefnogaeth gymunedol. Yn ei dro, ac o gofio bod pobl yn greaduriaid cymdeithasol, mae hyn wedi arwain at argyfwng iechyd meddwl enfawr, fel a ddisgrifir gan Oliver James yn *The Selfish Capitalist*, ac yn benodol at epidemig o unigrwydd. Mae cyfran sylweddol o Brydeinwyr ifanc yn teimlo'n unig yn aml neu'n aml iawn[24] tra bod bron i hanner y bobl dros 65 oed yn ystyried y teledu neu eu

[23] Murray Bookchin, *Post-Scarcity Anarchism* (t6)
[24] BBC Radio 4 a Wellcome, *The Loneliness Experiment*

hanifeiliaid anwes fel eu cwmni agosaf.[25] Wrth ystyried bod dylanwad perthnasoedd cymdeithasol ar risg marwolaeth yn debyg i ffactorau risg fel ysmygu ac yfed, a'u bod yn fwy arwyddocaol na ffactorau fel anweithgarwch a gordewdra,[26] mae hon yn sefyllfa ddifrifol a thrist. Mae'r gymuned yn bwysig.

Ac felly, yng Nghymru Fydd bydd pobl yn cydweithredu gyda'i gilydd oherwydd ymrwymiad gwirioneddol i les pobl eraill – cysyniad Bell Hook o ran cariad neu syniad Kropotkin o ran cyd-gymorth – a'r ymdeimlad mai dyna'r peth iawn i'w wneud. Bydd Cymru Fydd, yng ngeiriau Saunders Lewis, yn wir gymuned o gymunedau.

"Mae cymuned a chydraddoldeb yn atgyfnerthu ei gilydd, nid yn anghydnaws â'i gilydd."[27] Ond nid yn unig mae cymuned yn atgyfnerthu'r gwerth normadol o degwch, ond yn gyrru'n uniongyrchol y gwerth arall o ddemocratiaeth:

> "Mae'n haws derbyn y dylai fod gan bawb o fewn rhyw ofod cymdeithasol yr un hawl i'r amodau angenrheidiol i fyw bywyd llewyrchus pan deimlir consérn a rhwymedigaeth foesol dros eu lles hefyd... Mae gwerth democratiaeth yn fwy tebygol o gael ei wireddu'n llwyr o fewn unedau gwleidyddol lle mae ymdeimlad eithaf cryf o gymuned."
>
> *Erik Olin Wright*[28]

---

[25] *Age UK Loneliness Evidence Review*, Gorffennaf 2015 (t2)

[26] Julianne Holt-Lunstad, Timothy B. Smith, J. Bradley Layton, *Social Relationships and Mortality Risk, A Meta-analytic Review*

[27] Robert Putnam, *Bowling Along* (t358)

[28] Erik Olin Wright, *How to Be an Anticapitalist in the 21st Century* (t19)

Y drefn gymdeithasol-wleidyddol ac economaidd yng Nghymru Fydd

> "Gellir cynllunio sefydliadau cymdeithasol mewn ffyrdd sy'n dileu mathau o ormes sy'n rhwystro dyheadau dynol tuag at fyw bywydau boddhaus ac ystyrlon. Tasg ganolog gwleidyddiaeth ryddfreiniol yw creu sefydliadau o'r fath."
>
> *Erik Olin Wright*[29]

Mae'r gwerthoedd normadol yn gosod sylfeini Cymru Fydd. Yn sail i'r sylfeini hyn mae ailfeddwl radical o'r model trefniadaeth gymdeithasol-wleidyddol ac economaidd. Fel y noda Calvin Jones, "mae strwythur economaidd De Cymru ôl-ddiwydiannol yn hollol wahanol i strwythur Gogledd Ddwyrain Cymru sy'n dal yn ddiwydiannol... Mae unrhyw un sy'n gweithio'n aml yng Ngogledd Orllewin Cymru yn gwybod ei bod yn wlad arall yn economaidd (ac i raddau yn gymdeithasol-ddiwylliannol). Powys yw... Powys."[30] Sut felly allwn ni drefnu – yn gymdeithasol, yn wleidyddol ac yn economaidd – yng Nghymru Fydd er mwyn sicrhau

[29] Erik Olin Wright, *Envisioning Real Utopias* (t6)
[30] Calvin Jones, The Building of Successful Devolution, IWA

bod anghenion pob un o'r cymunedau gwahanol yn cael eu diwallu?

Yng nghymdeithas ddemocrataidd-egalitaraidd Cymru Fydd bydd dull *laissez faire market-knows-best* Ceidwadwyr y DU yn diflannu, ynghyd â dull gwladoliaeth ganolog Llafur y DU. Yn eu lle bydd gwir ddemocratiaeth gyfranogol, o'r gwaelod i fyny, gyda phŵer cymdeithasol, gwleidyddol ac economaidd yn cael ei dynnu o'r canol a'i ddatganoli i'r lefel isaf posibl, "gan ddod â rheolaeth yn ôl i'r gymuned trwy ranberchnogaeth a democratiaeth leol",[31] oherwydd "mai'r rhai gorau i wneud penderfyniadau ydy'r rhai sydd yn cael eu heffeithio'n uniongyrchol gan y penderfyniadau hynny."[32]

Trefn gymdeithasol-wleidyddol

Beth yw ystyr "datganoli i'r lefel isaf posibl" mewn gwirionedd? Sut olwg fyddai ar gymdeithas o'r fath? Yn ganolog i weithrediad Cymru Fydd bydd strwythur cymdeithasol-wleidyddol sy'n tynnu'n helaeth ar fynegiant Abdullah Öcalan o gymdeithas ddemocrataidd-egalitaraidd: cydffederaliaeth ddemocrataidd. Mae cydffederaliaeth ddemocrataidd yn nodi "y bydd y bobl yn ymwneud yn uniongyrchol â sefydliadoli, llywodraethu a goruchwylio eu ffurfiannau economaidd, cymdeithasol a gwleidyddol eu hunain."[33] Felly bydd datblygu strwythurau democrataidd llawr gwlad, wedi'u seilio ar gymunedau a grwpiau affinedd, yn hollbwysig.

---

[31] Leanne Wood, *Y Newid Sydd ei Angen* (t12)

[32] Leanne Wood, *Y Newid Sydd ei Angen* (t3)

[33] Abdullah Öcalan, *War and Peace in Kurdistan* (t34)

Yn ymarferol, bydd penderfyniadau lleol yn cael eu gwneud yn lleol, ar lefelau bro a chymuned. Bydd croeso i bob dinesydd gymryd rhan mewn cynghorau cymunedol, ac yn wir byddant yn cael eu hannog i gymryd rhan, ond ni fydd rhaid iddynt gymryd rhan. Bydd cynghorau cymunedol yn anfon cynrychiolwyr i gynghorau ffederal, pan fydd penderfyniadau yn gofyn am gydlynu rhwng cymunedau. Bydd cyngor cenedlaethol, neu gynulliad cyffredinol, yn cael ei neilltuo ar gyfer penderfyniadau y gellir eu gwneud ar lefel genedlaethol yn unig, sy'n ymwneud â materion fel amddiffyn neu faterion tramor.

Mae Abdullah Öcalan yn crynhoi'r dull gweithredu gorau yn ei bamffled, *Cydffederaliaeth Ddemocrataidd*: "[Mae] yn seiliedig ar gyfranogiad llawr gwlad. Mae ei phrosesau ar gyfer gwneud penderfyniadau yn perthyn i'w chymunedau. Nid yw lefelau uwch ond yn bodoli i gydlynu a gweithredu ewyllys y cymunedau sy'n anfon eu cynrychiolwyr i'r cynulliad cyffredinol."[34] Dim ond y math radical o drefn gymdeithasol-wleidyddol fel hon all sicrhau y bydd Cymru Fydd yn gymuned o gymunedau sy'n wirioneddol yn gweithredu yn y fath fodd.

Trefn economaidd

"Mae sosialaeth yn drefn economaidd lle mae dyrannu a defnyddio adnoddau at wahanol ddibenion yn digwydd trwy arfer pŵer cymdeithasol... yn sylfaenol, mae hyn yn golygu bod sosialaeth yn gyfwerth â democratiaeth economaidd."[35] Felly gallwn weld na ellir gwahanu trefn

---

[34] Abdullah Öcalan, *Democratic Confederalism* (t30)

[35] Erik Olin Wright, *How to Be an Anticapitalist in the 21st Century* (t69)

economaidd oddi wrth drefn gymdeithasol-wleidyddol. Felly, yng Nghymru Fydd, bydd llawer o adnoddau economaidd hefyd yn cael eu trefnu a'u rheoli ar y lefel isaf posibl. Yn ymarferol, mae hyn yn debygol o fod ar ffurf economi farchnadol-gydweithredol, gyda chymysgedd amrywiol o fentrau cydweithredol cymunedol, mentrau gwladol lle mae monopolïau ledled y wlad yn bodoli, a chwmnïau cyfalafol democrataidd, yn ogystal â nifer ychwanegol o sefydliadau economaidd di-farchnad. Fel y dywed Erik Olin Wright yn glir, mae'n "bosibl i strwythur economaidd gynnwys unedau a nodweddir gan berchnogaeth gymdeithasol yn ogystal â pherchnogaeth breifat a pherchnogaeth gan y wladwriaeth."[36]

Cwmnïau cydweithredol a chyfundrefnau cymunedol

Cwmnïau cydweithredol

Mae cwmnïau cydweithredol yn "gymdeithas ymreolaethol o bobl sydd wedi'u huno'n wirfoddol i ddiwallu eu hanghenion a'u dyheadau economaidd, cymdeithasol a diwylliannol trwy fenter dan gyd-berchnogaeth ac a reolir yn ddemocrataidd."[37] Gallant fodoli ar sawl ffurf gan gynnwys cwmnïau cydweithredol defnyddwyr, cynhyrchwyr neu dai, ymhlith eraill. Yn aml mae ganddyn nhw amcanion cymdeithasol yn ogystal ag economaidd ac, hyd yn oed heddiw, maen nhw'n chwarae rhan bwysig yn yr economi fyd-eang.

[36] Erik Olin Wright, *Envisioning New Utopias* (t116)

[37] International Cooperative Alliance

Un o'r cwmnïau cydweithredol mwyaf adnabyddus a mwyaf llwyddiannus yw Corfforaeth Mondragon, a leolir yng Ngwlad y Basg. Fe'i sefydlwyd yn wreiddiol ym 1956, ac mae gan y grŵp bellach dros 80,000 o weithwyr-berchnogion mewn 264 o fusnesau a chwmnïau cydweithredol, sy'n ymwneud â sectorau cyllid, manwerthu, diwydiant a gwybodaeth, ac mae ganddo dderbyniadau blynyddol o dros €12bn. Nid yw Mondragon yn fodel iwtopaidd gan fod yn rhaid iddo weithredu o fewn y system gyfalafol, ond mae'n cyflogi mesurau fel rheoleiddio cyflogau, gan gyfyngu ar y swm a delir i brif reolwr mewn perthynas â gweithiwr-berchennog ar isafswm cyflog, er mwyn ffrwyno'r gormodedd sy'n nodweddiadol o fentrau cyfalafol traddodiadol. Y canlyniad yw bod cwmnïau cydweithredol Mondragon yn fwy proffidiol na chwmnïau eraill o Sbaen, a bod ganddynt y cynhyrchiant llafur uchaf yn y wlad. "Y wers bwysicaf yn llwyddiant Mondragon ydy'r ffaith iddo gael ei sefydlu yn un o'r rhanbarthau tlotaf a mwyaf dirwasgedig yn economaidd yn Sbaen ond mae wedi bod yn ffactor sylweddol i wneud y rhanbarth honno yn un o'r cyfoethocaf yn y wladwriaeth erbyn heddiw."[38]

Sefydliadau cydfuddiannol

Mae cymdeithasau cydfuddiannol yn seiliedig ar egwyddor cydfuddiant, ond yn wahanol i fentrau cydweithredol nid yw aelodau fel arfer yn cyfrannu cyfalaf trwy fuddsoddiad uniongyrchol. Mae'n debyg mai'r enghreifftiau mwyaf eglur yw cymdeithasau adeiladu yn y DU ac Awstralia,

---

[38] Leanne Wood, *Y Newid Sydd ei Angen* (t16)

a sefydlwyd i ddarparu morgeisi cartrefi i aelodau. Mae benthycwyr ac adneuwyr yn aelodau o'r gymdeithas, yn llunio polisi ac yn penodi cyfarwyddwyr ar sail un aelod, un bleidlais.

Cyfundrefnau cymunedol

Yng Nghymru Fydd bydd cyfrifoldeb y wladwriaeth am ddarparu nwyddau a gwasanaethau penodol – y dulliau materol sy'n ofynnol i fyw bywyd llewyrchus, a drafodir yn adran nesaf y pamffled hwn – yn cynnwys cyfranogiad gweithredol o gymunedau a sefydliadau lleol mewn partneriaethau cymdeithasol-wladwriaethol. Bydd sefydliadau sy'n eiddo i'r gymuned ac sy'n cael eu rhedeg gan y gymuned bron yn siwr o gynnwys darparu gwasanaethau gofal, gan gynnwys gofal iechyd, gofal plant a gofal yr henoed, addysg, ystod o wasanaethau cyhoeddus, ac amwynderau cyhoeddus ar gyfer digwyddiadau cymunedol.

Mae Cwmni Bro Ffestiniog yn un sefydliad o'r fath. Daeth 12 o fentrau cymdeithasol at ei gilydd, yn cyflogi tua 150 o bobl, dan faner Cwmni Bro Ffestiniog, sy’n gwmni cymunedol cyfyngedig, i hybu datblygiad amgylcheddol, economaidd, cymdeithasol a diwylliannol yr ardal. Mae Cwmni Bro yn gwneud hyn trwy hybu cydweithrediad rhwng y mentrau cymdeithasol fel y maent, meithrin mentrau cymdeithasol newydd a hefyd drwy weithio gyda busnesau preifat bach sydd wedi’u hangori yn y gymuned. Am bob punt a dderbynnir fel grant neu fenthyciad, mae’n amcangyfrif bod 98 ceiniog yn cael eu gwario'n lleol, yn bennaf ar gyflogau, a bod 53% o'r cyflogau'n cael eu cadw'n lleol.

Mae cwmnïau cydweithredol a chymdeithasau cymunedol yn gwella democratiaeth economaidd am ddau brif reswm: maent yn cael eu llywodraethu gan egwyddorion democrataidd; ac, achos bod cwmnïau cydweithredol yn tueddu i fod â gwreiddiau daearyddol, mae'r cyfalaf sydd wedi ei fuddsoddi yn llawer llai symudol nag mewn cwmnïau cyhoeddus neu breifat, ac felly'n llai tebygol o symud i rywle arall i osgoi rheoleiddio neu i ecsbloetio amodau llafur rhatach. Asgwrn cefn yr economi yng Nghymru Fydd fydd cwmnïau cydweithredol a chwmnïau sy'n eiddo i'r gymuned.

Mentrau gwladol

Mewn nifer o feysydd mae monopolïau naturiol yn bodoli lle mae'n gwneud synnwyr i weithgareddau economaidd gael eu cydgysylltu ar lefel genedlaethol, yn hytrach nag ar lefel fwy lleol. Rhai enghreifftiau yw rheilffyrdd[39] neu seilwaith band eang. Dim ond enghreifftiau arbennig o gymdeithasau cymunedol yw mentrau gwladol: maent yn dal i fod yn eiddo i'r gymuned ac yn cael eu rhedeg er budd y gymuned, ond o ystyried maint y gweithrediadau, y gymuned yn yr achos hwn yw'r genedl. Felly dylid osgoi ail-greu modelau perchnogaeth gyhoeddus a nodweddir gan fiwrocratiaeth chwyddedig, ganolog heb fawr o atebolrwydd i'r cyhoedd.

[39] Mae trafnidiaeth gyhoeddus yn Tallinn, Estonia, yn rhad ac am ddim i'w defnyddio ac yn creu elw (Maeve Shearlaw, The Tallinn Experiment, *The Guardian*)

Democrateiddio cwmnïau preifat

Os yw'r Gymru Fydd yn mynd i gymryd ei lle fel aelod llawn o'r gymuned ryngwladol, ni all (ac ni ddylai) gau ei hun yn economaidd allan o farchnadoedd rhyngwladol. Fodd bynnag, bydd rhaid i gwmnïau preifat sydd am wneud busnes yng Nghymru dderbyn rhywfaint o ddemocrateiddio. Mae cwmnïau eisoes yn derbyn rhywfaint o gyfyngiadau ar eu hawliau eiddo preifat, megis deddfau isafswm cyflog neu reoliadau iechyd a diogelwch – byddai'r rhain yn cael eu hymestyn a'u dyfnhau yng Nghymru Fydd er mwyn hyrwyddo gwerthoedd cydraddoldeb, democratiaeth a solidariaeth. Gall gofynion o'r fath gynnwys gwell perchnogaeth cyfranddaliadau gan y gweithwyr, er enghraifft, neu gael bwrdd cyfarwyddwyr dwyochrog, un wedi'i ethol gan gyfranddalwyr yn y modd confensiynol, a'r llall yn cael ei ethol gan y gweithwyr ar sail un-person-un-bleidlais.

Ni ddylai cwmnïau weld y gofynion hyn fel cyfyngiadau, ond yn hytrach fel cyfleoedd i wella eu busnesau. Yn wir "bu nifer o astudiaethau mawr sydd wedi'u rheoli'n dda... sy'n dangos buddion economaidd o'r cyfuniad o gyfranddaliadau a chyfranogiad gan y gweithwyr... dim ond pan fo perchnogaeth cyfranddaliadau gan y gweithwyr yn cyd-fynd â chynlluniau rheoli cyfranogol gwell y daw buddion perfformiad sylweddol."[40]

Sefydliadau economaidd di-farchnad

Yn ychwanegol at y sefydliadau cymunedol a drafodwyd

---

[40] Richard Wilkinson and Kate Pickett, *The Spirit Level* (t256)

uchod, bydd mathau eraill o sefydliadau economaidd di-farchnad yn chwarae rhan bwysig yng Nghymru Fydd. "Mae llyfrgelloedd... yn fecanwaith dosbarthu sy'n ymgorffori'r ddelfryd egalitaraidd o roi hawl cyfartal i bawb i'r dulliau sydd eu hangen ar gyfer bywyd llewyrchus."[41] Maent hefyd yn annog ymddygiadau buddiol eraill, megis dylunio cynhyrchion cynaliadwy sy'n para, a rhai y gellir eu trwsio yn lle eu disodli.

Mae Llyfrgell Pethau eisoes yn bodoli yng Nghaerdydd. Mae Benthyg, sy'n cael ei redeg gan Rumney Forum, yn sefydliad cymunedol dan arweiniad preswylwyr, a'i arwyddair yw "*borrow don't buy*". Mae ganddo eitemau ar gael i'w benthyg sy'n amrywio o arddio i DIY, ac o dechnoleg gwybodaeth i gynhyrchion sy'n gysylltiedig â mamolaeth. Yng Nghymru Fydd bydd rhaglen ehangu'r ffyrdd llyfrgellaidd di-farchnad hyn, a arweinir gan y gymuned, o roi hawl i bobl i lawer o adnoddau.

Caffaeliad lleol – model Preston

Yng Nghymru Fydd "bydd pob ymdrech yn cael ei gwneud gan y gymuned i fodloni ei gofynion yn lleol – i ddefnyddio adnoddau ynni, mwynau, pren, pridd, dŵr, anifeiliaid a phlanhigion y rhanbarth mor rhesymol a dyneiddiol â phosibl a heb fynd yn groes i egwyddorion ecolegol."[42] Mae fersiwn gyfyngedig, lwyddiannus iawn, o'r uchelgais hon wedi bod yn gweithredu yn Preston, Lloegr, ers 2012. Mae caffael â ffocws lleol mewn sefydliadau angor, fel y cyngor, y brifysgol a'r colegau, wedi eu defnyddio i yrru'r

[41] Erik Olin Wright, *How to Be an Anticapitalist in the 21st Century* (t87)
[42] Murray Bookchin, *Post-Scarcity Anarchism* (t68)

galw am nwyddau a gwasanaethau o ffynonellau lleol, gan dyfu ac ehangu busnesau a chwmnïau cydweithredol lleol, a gwella iechyd a lles cymunedol.[43] Yng Nghymru Fydd bydd yr uchelgais hon yn mynd ymhellach a bydd yn cael ei hymgorffori ym mhob cymuned ar hyd a lled y wlad, wrth i benderfyniadau gael eu gwneud yn y gymuned a chan y gymuned, ac a fydd o reidrwydd yn cefnogi'r strwythurau economaidd sydd o danynt.

Trethiant

Trethu cyfoeth

Fel y nodwyd yn y rhagymadrodd i'r pamffled hwn mae Cymru yn wlad gyfoethog, ond y mae ei phobl yn byw mewn tlodi. Ond, er gwaethaf anghydraddoldeb incwm rhwng Cymru a'r DU yn ei chyfanrwydd, mae'r cyfoeth cyfartalog yng Nghymru tua'r un faint â'r cyfoeth cyfartalog yng ngweddill y DU.[44] Ond mae llawer o'r cyfoeth hwn yn anghynhyrchiol, ynghlwm wrth dir ac eiddo y gellid gwneud gwell defnydd ohonynt. Felly dylid gweithredu proses o ailwampio radical ar y system dreth, gan ganolbwyntio ar drethi ar gyfoeth sy'n symud y baich i fod ar y cyfoethocaf mewn cymdeithas, yn hytrach na threthi incwm, neu drethi defnydd sy'n effeithio'n anghymesur ar y tlotaf. Fel y mae Thomas Piketty yn nodi yn ofalus yn ei lyfr *Capital*, mae'r cynnydd enfawr mewn anghydraddoldeb cyfoeth a welwyd ers yr ail ryfel byd yn ganlyniad i'r gyfradd twf cyfansawdd a gymhwysir i gyfoeth nas trethir neu sy'n cael ei drethu'n

---

[43] Centre for Local Economic Strategies, *How we built community wealth in Preston*

[44] The Resolution Foundation, *The Generation of Wealth*

annigonol. Cyfoeth sy'n esgor ar gyfoeth. Trwy symud y baich i'r cyfoethocaf mewn cymdeithas, trwy drethu cyfoeth yn hytrach nag incwm, gallwn wyrdroi'r cynnydd hwn mewn anghydraddoldeb, a thrwy hynny gyfrannu at greu cymdeithas decach, gyda'r holl allanolion cadarnhaol a ddaw yn sgil hyn.

Datganoli'r casglu

Er bod cydgysylltu a chysoni trethiant rhwng cymunedau, neu ardaloedd economaidd, yn bosibl a hyd yn oed yn debygol, dylid datganoli casglu a gweinyddu trethi i'r ardaloedd economaidd eu hunain. Mae system o'r fath yn digwydd yng Ngwlad y Basg heddiw, lle mae cynghorau taleithiol Bizkaia, Álava/Araba a Gipuzkoa – y tair tiriogaeth hanesyddol sy'n ffurfio Gwlad y Basg – yn casglu ac yn penderfynu ar y trethi a delir gan eu dinasyddion. Byddai cronfeydd wedyn yn cael eu cadw'n agosach at ble mae eu hangen ac maent i'w gwario, gan ganiatáu ar gyfer arloesiadau fel cyllidebu cyfranogol, gyda chyfran yn unig yn cael ei throsglwyddo i lefel ffederal neu genedlaethol.

Mesurau gwahanol i gynnyrch mewnwladol crynswth

Fel y dadleuwyd trwy gydol y pamffled hwn, mae angen inni fod yn chwyldroadol yn y ffordd yr ydym yn meddwl am Gymru, ac am yr hyn yr ydym am ei gael gan Gymru Fydd. Mae gan gyfalafiaeth yn gyffredinol, a neo-ryddfrydiaeth yn benodol, obsesiwn llwyr â thwf economaidd, fel y'i mesurir gan CMC. Ond at ba bwrpas rydym am gael economi sy'n ehangu'n ddi-baid ac am byth? Er mwyn i bobl sy'n gynyddol anhapus, wrth iddynt weithio mwy a mwy o oriau bob dydd a hynny mewn swyddi nad ydyn nhw'n eu hoffi, allu fforddio prynu pethau nad ydyn nhw eu hangen? Yn rhy aml mae polisïau wedi'u hanelu at dyfu CMC heb roi sylw digonol i ansawdd y twf a gyflawnir. Os ydym am i Gymru Fydd fod yn wlad deg, ddemocrataidd a chydweithredol, lle mae gan bawb y dulliau i fyw bywyd llewyrchus, byddai'n llawer mwy buddiol inni ganolbwyntio ein sylw ar fesurau sydd mewn gwirionedd yn nodi a yw dinasyddion Cymru yn byw bywyd llewyrchus: uwchlaw lefelau isel iawn o CMC, nid yw cynnydd o ran CMC y pen yn arwain at gynnydd sylweddol mewn boddhad bywyd. Byddai'n llawer mwy buddiol inni ddileu CMC fel mesur o ba mor dda y mae'r wlad a'i dinasyddion yn gwneud, ac yn lle hynny canolbwyntio ar fesurau lles, fel y rhai a ddatblygwyd gan yr OECD ac a ddefnyddir gan Seland Newydd. Dim ond wedyn y gallwn fod yn sicr bod Cymru Fydd yn wlad sy'n werth byw ynddi.

Yr amgylchedd

> "Ni allwn ddatrys yr argyfwng heb ei drin fel argyfwng. Ac os yw'n amhosibl dod o hyd i atebion o fewn y system, yna efallai y dylem newid y system ei hun."
>
> *Greta Thunberg*

Yn syml, mae cyfalafiaeth yn lladd y blaned. Mae'r ffocws ar dwf economaidd uwchlaw popeth, a phreifateiddio elw wrth gymdeithasoli colledion yr un pryd, yn yr achos hwn y niwed drwy lygredd amgylcheddol, wedi arwain at yr argyfwng hinsawdd. Ac er bod pobl ifanc y byd yn protestio ar y strydoedd, nid yw llywodraethau a chwmnïau'r byd yn gwneud digon i fynd i'r afael â'r argyfwng hwn. Mae'r consensws ar gynnydd ein bod yn cyrraedd pwynt di-droi'n ôl, lle bydd y difrod mor fawr fel na fydd yn bosibl rhoi stop arno, ond mae'r rhai sydd mewn grym yn oedi.

Nid yw newid hinsawdd yn fater y gall unigolion ei ddatrys, ac ni ellir ei ddatrys ar lefel leol na chenedlaethol: mae angen cydweithredu traws-genedlaethol ac ymdrech gydlynol. Ond yn yr un modd ag y dylai unigolion barhau i wneud dewisiadau sy'n ystyried yr effaith amgylcheddol yn eu bywydau bob dydd, hyd yn oed os na fydd yr ymddygiadau hyn yn osgoi'r argyfwng ar eu pennau eu hunain, dylai cenhedloedd hefyd wneud popeth o fewn eu gallu i fynd i'r afael â newid hinsawdd mewn modd unochrog, i wyrdroi colli cynefinoedd ac i amddiffyn bioamrywiaeth.

Bydd Cymru Fydd, un sydd wedi'i chreu ar y tri gwerth normadol uchod, o reidrwydd yn cael effaith lai ar yr amgylchedd trwy fod yn gymdeithas fwy cyfartal: mae gan wledydd mwy anghyfartal olion traed ecolegol uwch, maent yn cynhyrchu mwy o wastraff ac yn defnyddio mwy o ddŵr na'r rhai sydd yn fwy cyfartal. At hynny, bydd Cymru Fydd yn llawer mwy tebygol o ddeddfu polisïau sy'n achosi'r effaith leiaf posib ar yr amgylchedd na Chymru sydd wedi'i chlymu i DU neo-ryddfrydol. Byddai Cymru Fydd yn canolbwyntio ar faterion sy'n bwysicach na thwf economaidd parhaus, byddai'n sicrhau bod ei chyflenwad trydan yn gwbl adnewyddadwy, a bod ei system fwyd yn lleol ac yn gynaliadwy.

Mewn gwirionedd, trwy ddiffiniad, byddai'n rhaid i Gymru Fydd fod yn gynaliadwy yn amgylcheddol gan mai un o werthoedd normadol Cymru Fydd yw y bydd gan genedlaethau'r dyfodol o leiaf yr un hawl i'r dulliau i fyw bywyd llewyrchus â'r genhedlaeth bresennol.

Blociau adeiladu Cymru Fydd

"Liberté, égalité, fraternité."

Maximilien Robespierre

Sylfeini Cymru Fydd yw'r tri gwerth normadol, sef tegwch, democratiaeth a chymuned. Ond beth am y dewisiadau polisi a'r penderfyniadau y gellir eu hadeiladu ar y sylfeini hyn er mwyn creu cymdeithas well a thecach? Trown yn awr at drafodaeth eang ynghylch rhai o flociau adeiladu'r gymdeithas newydd.

Dulliau materol

Yng Nghymru Fydd bydd gan bawb hawl gyfartal i'r dulliau materol sy'n angenrheidiol i fyw bywyd llewyrchus. Gall yr hyn sy'n ffurfio'r dulliau materol newid dros amser a lle, a gall hefyd amrywio o berson i berson, ond yn fras mae'n cynnwys ystod o gynhyrchion a gwasanaethau sylfaenol sy'n golygu bod pobl yn cael eu cadw'n gynnes, eu llochesu, eu bwydo, eu haddysgu'n dda a'u cadw mewn iechyd da. Mewn economi farchnad neu gymysg mae'n awgrymu bod gan bobl incwm digonol i brynu rhai neu lawer o'r pethau hyn.

Incwm sylfaenol di-amod (ISD)

Gydag ISD, byddai incwm sy'n ddigonol i fyw uwchlaw'r llinell dlodi yn cael ei dalu i bob dinesydd yng Nghymru, o bob oed, heb unrhyw amodau. Byddai mathau eraill o gymorth incwm yn cael eu dileu, heblaw am y rhai sy'n gysylltiedig ag anghenion arbennig, a fyddai'n lleihau'r baich gweinyddol o reoli system gymhleth o nawdd cymdeithasol sy'n gofyn am asesiad anghenion. Gan y byddai'n daliad di-amod a wneir i bob dinesydd, byddai hefyd yn dileu unrhyw stigma cymdeithasol sy'n gysylltiedig â "hawlio budd-daliadau". Byddai incwm sylfaenol diamod a bennir fel hyn yn arwain yn rhesymegol at ddileu tlodi, a byddai hefyd yn lleihau anghydraddoldeb economaidd a chymdeithasol.

Yn y bôn, byddai ISD yn chwalu'r cysylltiad rhwng diwallu anghenion sylfaenol unigolyn a'r cyflog y mae'r person hwnnw'n ei ennill. Trwy ddarparu rhwyd ddiogelwch gref, byddai ISD yn cysgodi dinasyddion rhag yr effeithiau dinistriol tebygol a achosir gan awtomeiddio, yn dileu'r risg sy'n gysylltiedig â mentrau newydd, ac yn yr un modd gallai helpu i gefnogi economi farchnadol gydweithredol. Byddai'n gadael i bobl gymryd rhan mewn mentrau y tu allan i economi gyfredol y farchnad, er enghraifft y gweithgareddau hynny megis rhoi gofal nad yw cymdeithas yn eu gwerthfawrogi mewn modd economaidd, a byddai'n gadael i bobl ddilyn eu diddordebau creadigol y tu allan i'r gweithle traddodiadol, gan gyfrannu at fywyd llewyrchus a chymdeithas fywiog.

Bwyd

Ar hyn o bryd mae Cymru yn allforio'r rhan fwyaf o'r bwyd y mae'n ei gynhyrchu, ac yn ail-fewnforio popeth sydd ei angen arni, ar gost fawr i'r amgylchedd. Yn wir, mae bwyd a gweithgareddau cysylltiedig â bwyd fel ffermio ffatri, storio a chludiant i gyd yn cael effaith ecolegol fawr, a hynny heb sôn am y pryderon moesegol. Mae gan Maniffesto Bwyd Cymru weledigaeth wahanol o'r system fwyd yng Nghymru, "Cymru lle gall pawb fwynhau bwyd sy'n flasus ac yn faethlon, wedi'i gynhyrchu mewn ffordd sydd mewn cytgord â'r byd naturiol, fel gall cenedlaethau'r dyfodol hefyd fwyta'n dda... system fwyd sy'n darparu cyflogaeth ystyrlon, cynhyrchu bwyd iach, cydnabod traddodiadau diwylliannol ac yn masnachu yn deg â gweddill y byd."[45]

Mae'r weledigaeth hon yn disgrifio system fwyd i Gymru wedi'i gwreiddio yng Nghymru, ac wedi'i gwreiddio yn y gymuned, ac yn bennaf (er nad yn gyfan gwbl) yn cynhyrchu i ddiwallu anghenion y gymuned honno. Byddai gan system o'r fath nifer o fuddion, o leihau gwastraff i hyrwyddo ffermydd cydweithredol a chymunedol, ac o sicrhau lles anifeiliaid i addysgu ein plant am rôl bwyd maethlon wrth fyw bywyd llewyrchus. Ond budd mwyaf system fwyd o'r fath yw y byddai'n gallu ymateb i'r galw lleol i sicrhau na fyddai neb o ddinasyddion Cymru Fydd yn llwglyd.

Lloches

Mae bodolaeth digartrefedd helaeth mewn rhan gyfansoddol o'r bumed economi gyfoethocaf yn y byd yn

---

[45] Maniffesto Bwyd Cymru

gywilyddus a dylai fod yn embaras cenedlaethol. Bydd yr hawl i dai a lloches digonol yn cael ei chydnabod fel hawl annileadwy i bob dinesydd yng Nghymru Fydd.

Addysg

Mae adeiladu Cymru Fydd yn cychwyn yn ein hysgolion: "awdurdodi trwy addysg."[46] Nid "cymdeithasoli pobl ifanc er mwyn dilyn yn llwyddiannus rôl waith a ddiffiniwyd ymlaen llaw"[47] fydd prif bwrpas addysg, ond bydd yn ehangach na hyn er mwyn helpu i'w datblygu i fod yn ddinasyddion crwn, hapus, sy'n cymryd rhan yn llawn. Bydd plant ac oedolion ifanc yn cael eu dysgu am sut mae democratiaeth yn gweithredu, gan fod dealltwriaeth o ddemocratiaeth yn hanfodol er mwyn gallu cymryd rhan ynddi. Yn ogystal â'r celfyddydau a'r gwyddorau, dysgir iddynt wleidyddiaeth a dinasyddiaeth, cydraddoldeb a thegwch, meithrin perthnasoedd a pharch. A dysgir iddynt am hyn i gyd trwy gyfrwng y Gymraeg, gan y bydd pob ysgol yng Nghymru Fydd yn ysgol cyfrwng Cymraeg a fydd yn rhad ac am ddim: mewn gwirionedd dyma'r unig math o ysgolion sy'n datblygu dwyieithrwydd.

Mae addysg yn mynd ymhellach na'r hyn a ddarperir yn yr ysgol a'r brifysgol. Dylai dysgu gydol oes fod ar gael i bawb sydd am ei gael, gan fynd llawer ymhellach na dim ond ailhyfforddi ac uwchsgilio gweithwyr er mwyn iddynt ymateb i farchnad swyddi sy'n newid. Yng Nghymru Fydd bydd dysgu gydol oes yn cynnwys sgiliau caled, wrth gwrs, ond bydd yn mynd ymhellach i alluogi pobl o bob

[46] Leanne Wood, *Y Newid Sydd ei Angen* (t28)
[47] David Frayne, *The Refusal of Work* (t15)

oedran i ddatblygu eu diddordebau a'u galluoedd yn y celfyddydau, crefftau, gwleidyddiaeth, dinasyddiaeth a mwy.

Gofal iechyd a gofal cymdeithasol

Mewn gwledydd cyfoethog, nid oes perthynas rhwng disgwyliad einioes a maint gwariant y pen ar iechyd. Ond mae yna ddigonedd o dystiolaeth sy'n dangos bod cymdeithasau mwy egalitaraidd yn tueddu i fod yn iachach."[48] Yn ôl union natur y gymdeithas yng Nghymru Fydd – un sy'n deg ac yn rhydd, lle nad yw dinasyddion yn cystadlu'n gyson ag eraill – dylai lefelau iechyd a lles, yn enwedig lles meddyliol, wella. Bydd darparu system o ofal iechyd a gofal cymdeithasol cydgysylltiedig, yn rhad ac am ddim wrth ei defnyddio, yn hawl i bob dinesydd, a bydd yn mynd yn llawer ymhellach na'r Gwasanaeth Iechyd Gwladol cyfredol. Bydd yn canolbwyntio ar fesurau ataliol, ar leihau achosion salwch, trwy hyrwyddo ffyrdd iach o fyw yn gorfforol ac yn feddyliol. Bydd hefyd yn cwmpasu gwasanaeth gofal cymdeithasol cynhwysfawr yn y gymuned, gan ddiwallu anghenion yr henoed, y rheini ag anableddau meddyliol neu gorfforol, a'r rheini â phroblemau camddefnyddio cyffuriau, ymhlith gwasanaethau eraill i gefnogi plant ac oedolion. Bydd yn defnyddio llawer o feysydd polisi eraill, megis addysg, y system fwyd a darparu hamdden, i sicrhau dull cydgysylltiedig o les trwy gydol oes rhywun a hyd at henoed.

---

[48] Richard Wilkinson and Kate Pickett, *The Spirit Level* (t81)

Hamdden/ adloniant

Un o'r anghyfiawnderau mawr o ganlyniad i ddegawd neu fwy o lymder yw'r gostyngiad mewn cyfleusterau hamdden ac adloniant i'w defnyddio am ddim. Mae clybiau ieuenctid wedi cau, llyfrgelloedd wedi cau, cyfleusterau'r cyngor wedi'u cwtogi a mannau cyhoeddus wedi'u gwerthu i gwmnïau preifat. Mae cyllid ar gyfer y celfyddydau wedi cael ei dorri ac mae sawl cynllun wedi cael ei ystyried, gan gynghorau sy'n ysu am arian, o ran codi tâl ar bobl i gael mynediad i barciau cyhoeddus. O ystyried yr allanolion cadarnhaol y mae'r enghreifftiau hyn yn eu cynhyrchu – buddion i'r gymuned ehangach sy'n ychwanegol at y buddion i'r unigolyn sy'n defnyddio'r gwasanaethau ei hun – mae'r polisïau cibddall hyn wedi bod yn drychinebus. Maent wedi cyfrannu at y dirywiad yn lefelau iechyd corfforol a meddyliol unigolion, a'r lefel ostyngol o ysbryd cymunedol a welwyd ers yr argyfwng ariannol.

Byddai Cymru Fydd yn gwrthdroi preifateiddio mannau cyhoeddus ac yn ehangu cyfleusterau hamdden sy'n eiddo i'r gymuned ac yn cael eu rhedeg ganddi. Bydd cymunedau'n cael eu hannog a'u grymuso i ddarparu'r gwasanaethau hynny sy'n diwallu yn y modd gorau anghenion a gofynion y cymunedau eu hunain, gan sicrhau hawl pob dinesydd i weithgareddau hamdden, adloniant a diwylliannol.

Ynni

Eisoes mae hanner cynhyrchiant ynni Cymru yn cael ei gyflenwi gan ffynonellau adnewyddadwy. Ond, fel y dadleuodd yr Athro Emeritws Keith Barnham yn ei lyfr *The Burning Answer*, gallai cyfuniad o ffynonellau adnewyddadwy gyflenwi holl ofynion ynni presennol Cymru, megis cymysgedd o wynt alltraeth, solar ar ben to, a thrydan-bio drwy ddefnyddio'r gwastraff o'n system fwyd. Nid oes angen cynhyrchu niwclear. Gallai'r mathau hyn o gynhyrchiant ynni fod ar raddfa fach, ddatganoledig, dan arweiniad cymunedol ac yn eiddo democrataidd.

Ar hyn o bryd Cymru yw'r pumed allforiwr ynni mwyaf yn y byd, ar ôl Canada, yr Almaen, Paraguay a Ffrainc, ond nid yw dinasyddion Cymru yn gweld dim o'r budd, gan mai cwmnïau preifat sydd biau'r cynhyrchiant. Yng Nghymru Fydd gallem ehangu ein gallu i gynhyrchu ynni adnewyddadwy trwy, er enghraifft, fanteisio ar ein potensial mawr o ran ynni llif llanw, i barhau i allforio ynni i'n cymdogion. Fodd bynnag, gan y byddai'r cynlluniau hyn i gyd yn perthyn i'r gymuned ac yn cael eu rhedeg ganddi, byddai'r buddion yn mynd yn eiddo i gymunedau Cymru.

Cyfathrebu

O ystyried hanes Cymru o ran ei heconomi a seiliwyd ar gloddio defnyddiau o'r tir, a'r ffaith bod Cymru ar gyrion economi gyfoes y DU sy'n canolbwyntio ar Lundain, mae'r rhwydwaith cyfathrebu yng Nghymru yn waeth o lawer na'r hyn sydd ei angen mewn cenedl fodern, a chyda thanfuddsoddi parhaus. Y brif ffordd sy'n cysylltu gogledd y wlad a'r de yw ffordd un lôn am lawer o'i hyd, ac er mwyn mynd o dde'r wlad i'r gogledd ar reilffordd mae angen teithio trwy Loegr.

Cludiant yw un o'r cyfranwyr mwyaf tuag at allyriadau nwyon tŷ gwydr. Trwy ailfeddwl mewn ffordd radical y ffordd y mae dinasyddion a nwyddau yn cael eu cludo o amgylch y wlad, gallwn greu system decach lle mae gan bawb allu cyfartal i deithio yn ôl eu hanghenion a'u dymuniadau, ond hefyd gallem leihau'r effaith y mae symudiadau o'r fath yn ei chael ar yr amgylchedd mewn ffordd ddramatig. Gallai gwasanaethau bysiau trydan, a ariennir yn ganolog gan y gymuned, gysylltu â rhwydwaith cludiant ehangach sy'n wyrdd ac integredig. Gallai hyn gynnwys opsiynau teithio ar reilffyrdd a theithio llesol fel beicio, gan ddarparu trafnidiaeth gyhoeddus am ddim i bawb ledled y wlad, fel yr ydym eisoes yn dechrau ei weld mewn gwledydd fel Estonia. Byddai hyn yn galluogi dinasyddion i roi'r gorau i'w ceir, adennill y trefi a'r dinasoedd, a helpu i wyrddio llwydni ein ffyrdd a'n meysydd parcio.

Mae cyfathrebiadau modern yn mynd y tu hwnt i gludiant. Mae hawl i fand eang cyflym a dibynadwy yn hanfodol, gan roi hawl i unigolion gael gwybodaeth o bedwar ban y byd, ymestyn hawliau gwleidyddol trwy alluogi pobl i ddwyn awdurdodau i gyfrif yn haws, hwyluso gweithio hyblyg, a gwella gallu busnesau i ymgysylltu â'u cyflenwyr a'u cwsmeriaid. Yng Nghymru Fydd bydd seilwaith digidol yn gael ei ehangu ledled y wlad, a gellid blaenoriaethu bod band eang ar gael i bawb am ddim, er enghraifft trwy WiFi cyhoeddus, llyfrgelloedd a chanolfannau cymunedol, i helpu i gysylltu ein cymunedau â'i gilydd, a chyda'r byd ehangach, i rannu syniadau, ein hiaith a'n diwylliant.

Mae gwybodaeth gywir a diduedd am ddim, a ddarperir gan gyfryngau annibynnol, yn rhagofyniad ar gyfer democratiaeth weithredol. Mae'n bosibl llacio gafael bresennol y cyfryngau adain dde, sy'n canolbwyntio ar Lundain, trwy adeiladu ar rwydwaith y Papurau Bro a chyfryngau newydd fel Nation.Cymru, a thrwy gymryd ysbrydoliaeth o bapurau newydd fel *The National* yn yr Alban, i ddarparu gwasanaethau newyddion perthnasol a diduedd i ddinasyddion Cymru Fydd, fel y gallant wneud penderfyniadau gwybodus ynghylch y materion sy'n effeithio arnynt.

Dulliau cymdeithasol

Yng Nghymru Fydd bydd gan bawb hawl gyfartal i'r dulliau cymdeithasol sy'n angenrheidiol i fyw bywyd llewyrchus. Bydd y dulliau cymdeithasol yn newid o berson i berson, yn siwr, ond maent yn cwmpasu'r gweithgareddau ystyrlon y mae rhywun yn eu perfformio, gan gynnwys ond heb fod yn gyfyngedig i waith, y cysylltiadau cymdeithasol sydd gan y person, yn ogystal â'r gydnabyddiaeth y mae'n ei derbyn.

Gweithgareddau ystyrlon, boddhaus

Mae gwaith y telir amdano yn ganolog nid yn unig i weithrediad cymdeithasau cyfalafol, ond hefyd i'w diwylliant: mae ein barn a'n rhagdybiaethau ynghylch person a'i statws i raddau mawr wedi'u llunio yn ôl ei waith; mae'r gweithle yn creu llawer o'r cysylltiadau cymdeithasol sydd gan bobl; ac mae gwaith yn cael ei ystyried fel ffordd i berson dyfu ac i gael boddhad. Mae gwaith y telir amdano hefyd yn ganolog i wleidyddiaeth cymdeithasau cyfalafol: er mai twf CMC allai fod y nod, creu swyddi yw'r modd (gan anwybyddu ansawdd y swyddi). Mae Llywodraeth Lafur Cymru yn fwy euog na llawer yn hyn o beth.

Mae'r ffin rhwng bywyd gwaith a bywyd cartref yn mynd yn fwyfwy aneglur. Yn fwyfwy aml gofynnir i weithwyr fod yn hyblyg, “agile” ac ymreolaethol (o fewn terfynau wedi'u diffinio ymlaen llaw, wrth gwrs), ac felly mae disgwyl iddynt fod ar gael ac yn barod i ateb i e-byst bob awr o'r dydd, gyda’r cyfan oll yn cael ei ddynodi fel “gweithio'n hyblyg” a'i werthu i weithwyr fel buddion. Ond o ystyried natur ansicr bywyd o dan gyfalafiaeth, mae gweithwyr yn derbyn y termau hyn, gan fod gwaith yn ganolog i ddosbarthiad incwm: dyma'r brif ffordd rydym yn cael hawl i'r dulliau i fyw bywyd llewyrchus, hyd yn oed os ydym yn rhy flinedig ac o dan ormod o straen – wrth inni ddod atom ein hunain o'r gwaith – i fyw bywyd o'r fath.

Mae hyn yn arwain at set eang o gwestiynau a fynegwyd gan David Frayne yn ei lyfr *The Refusal of Work*: “Beth sydd mor wych o ran gwaith sy'n gweld cymdeithas yn ceisio yn gyson i greu mwy ohono? Pam, ar binacl datblygiad cynhyrchiol cymdeithas, mae pobl yn credu o hyd bod angen i bawb weithio am y rhan fwyaf o'r amser? Beth yw diben gwaith, a beth arall y gallem fod yn ei wneud yn y dyfodol, pe na baem bellach wedi ein cornelu i dreulio'r rhan fwyaf o'n hamser yn gweithio?”[49] Mae'r cwestiynau'n arbennig o berthnasol mewn cymdeithas ôl-brinder fel Cymru.[50]

Rydym eisoes wedi trafod sut y bydd ISD Cymru Fydd yn

[49] David Frayne, *The Refusal of Work* (t13)

[50] Defnyddir y term “ôl-brinder” i ddynodi'r sefyllfa economaidd ddamcaniaethol lle gellir cynhyrchu'r rhan fwyaf o nwyddau yn helaeth, fel eu bod ar gael i bawb yn rhad iawn neu am ddim hyd yn oed. Nid yw ôl-brinder yn golygu bod prinder wedi cael ei ddileu ar gyfer yr holl nwyddau a gwasanaethau, ond yn ddamcaniaethol y gallai pawb ddiwallu’n hawdd eu hanghenion goroesi sylfaenol. Yn ymarferol, nid yw hyn yn digwydd oherwydd, ymhlith rhesymau eraill, camddyrannu cyfalaf ac adnoddau, yn ogystal ag ymddygiad ceisio rhent.

torri'r cysylltiad rhwng gwaith ac incwm (sylfaenol). Bydd gwaith yn dal i fod ar gael, a bydd angen gweithwyr o hyd, ond bydd y ddeinameg bŵer rhwng cyfalaf a llafur yn cael ei thorri: bydd trymwaith wedi cael ei ddiddymu. Bydd pobl felly yn rhydd i berfformio gweithgareddau ystyrlon a boddhaus, gan gynnwys gwaith, fel y dymunant.

Agosatrwydd/ cysylltiad cymdeithasol

Mae bodau dynol yn greaduriaid cymdeithasol, ond is-gynnyrch cymdeithas gyfalafol, ac un sy'n canolbwyntio ar waith, yw diffyg cynyddol o gysylltiad cymdeithasol, a rhagor o unigrwydd a dieithrio. Yng Nghymru Fydd bydd agosatrwydd a chysylltiad cymdeithasol yn cael eu hyrwyddo mewn dwy ffordd arwyddocaol: yn gyntaf trwy dorri'r cysylltiad rhwng gwaith a chyflog, a thrwy hynny ganiatáu amser ac egni i bobl adeiladu a chynnal perthnasoedd ystyrlon; ac yn ail, oherwydd trefniadacth gymdeithasol democratiaeth gyfranogol, wedi'i gwreiddio mewn cymunedau a grwpiau affinedd (a drafodir yn ddiweddarach).

Cydnabyddiaeth gymdeithasol

Mae cydnabyddiaeth, sef "yr arferion cymdeithasol a ddefnyddir gan bobl i gyfleu parch at ei gilydd ac i ddilysu eu statws fel pobl foesol gyfartal o fewn cymdeithas",[51] nid yn unig yn bwysig i ymdeimlad o les unigolyn, ond gall fod yn hanfodol er mwyn i bobl ffynnu. Y rheswm am hyn yw bod camwybodaeth, a stigma cymdeithasol sy'n gysylltiedig ag

---

[51] Erik Olin Wright, *Envisioning Real Utopias* (t16)

unrhyw briodoledd amlwg person, er enghraifft dosbarth, iaith neu rywioldeb, "yn rhwystro llewyrch pobl hyd yn oed ar wahân i'r ffordd y gall y rheini hefyd rwystro'r hawl i'r dulliau materol i ffynnu."[52]

Yng Nghymru Fydd ni fydd dinasyddion yn cael eu barnu yn bennaf yn ôl eu gallu i gynhyrchu gwerth economaidd, ond mewn modd ehangach yn ôl y cyfraniadau amrywiol a wneir i'w grwpiau affinedd, eu cymunedau ac i'r gymdeithas. Bydd dinasyddion yn cydnabod bod pob dinesydd yn aelod gwerthfawr yng Nghymru Fydd, a phob un â'i gyfraniad i'w wneud.

Dulliau diwylliannol

Yng Nghymru Fydd bydd gan bawb hawl cyfartal i'r dulliau diwylliannol sy'n angenrheidiol i fyw bywyd llewyrchus. Mae'r dulliau diwylliannol yn cwmpasu sawl peth, sef dealltwriaeth o Gymru a'i hanes a'i hiaith, empathi tuag at yr amrediad o ddiwylliannau amrywiol sy'n bresennol yn y wlad, a dealltwriaeth o sut mae'r cydblethu rhwng y ddau yn sail i genedl fodern, fywiog. Rhaid inni hefyd osod ein diwylliant yng nghyd-destunau ehangach Prydain, Ewrop a'r byd.

Dwyieithrwydd

Fel y dywedodd cyn-bêl-droediwr a rheolwr pêl-droed Cymru, Chris Coleman, "[mae] y Gymraeg yn rhan o bwy ydyn ni... dyma yw ein hiaith genedlaethol ni... dyw pawb

---

[52] Erik Olin Wright, *How to Be an Anticapitalist in the 21st Century* (t13)

ddim yn gallu ei siarad, ond mae'n rhan o'n diwylliant."[53] Bydd Cymru Fydd yn genedl wirioneddol ddwyieithog. Bydd dinasyddion yn gallu byw pob agwedd o'u bywydau cyfan trwy'r Gymraeg neu'r Saesneg. Addysg gyfrwng Cymraeg yw'r unig ffordd i ddatblygu dinasyddion cwbl ddwyieithog, rhai sydd yr un mor alluog a chyffyrddus yn y ddwy iaith, ac felly fel y trafodwyd uchod bydd pob ysgol yn ysgol gyfrwng Cymraeg a fydd yn rhad ac am ddim.

Hanes

Dywedodd Malcolm X mai "dim ond ffŵl fyddai'n gadael i'w elyn ddysgu ei blant." Fe wnaeth Mary Angelou ei eirio mewn termau llai pigog, ond gan adleisio'r un teimlad, pan ddywedodd "os nad ydych chi'n gwybod o ble rydych chi wedi dod, nid ydych chi'n gwybod i ble rydych chi'n mynd." Fel dinasyddion dwyieithog Cymru Fydd byddwn yn cael ein dysgu am ein hanes, o'r cyfnod roedd dynion a menywod cynhanesyddol yn cloddio am gopr ar y Gogarth hyd at dywysogion Cymru a'r goresgyniad Sacsonaidd, o'r amser pan oedd Cymru yn gyrru'r chwyldro diwydiannol ymlaen hyd at y cyfnod pan gymerodd ran weithredol mewn ymestyn yr Ymerodraeth a therfysgoedd hiliol 1919, ac o sefydlu'r GIG a radicaliaeth y 1960au hyd at ddatganoli. Byddwn yn gwybod ein hanes nid fel y gallwn ymffrostio neu frolio am ein rhagoriaeth, ond fel y gallwn fwrw o'r neilltu ein hisraddoldeb canfyddedig. Bydd dealltwriaeth o'n hanes a rennir yn rhoi dealltwriaeth well inni o bwy ydym, yn cadarnhau teimladau o gymuned a

[53] Golwg360, "Y Gymraeg yn rhan o bwy ydyn ni" meddai Chris Coleman

chenedligrwydd, ac yn ein galluogi i edrych ymlaen yn hyderus wrth adeiladu ac adnewyddu'r Gymru Fydd mewn modd parhaus.

Amrywiaeth ddiwylliannol

Fel dinasyddion Cymreig hyderus a modern byddwn yn deall sut mae tonnau o fewnfudwyr dros y canrifoedd diwethaf wedi siapio Cymru a'i chymunedau er gwell. Byddwn yn parhau i groesawu a chofleidio newydd-ddyfodiaid gyda diwylliannau a hanesion gwahanol sy'n ceisio gwneud Cymru yn gartref iddynt, fel bod yr ymadrodd "mae croeso i bawb yng Nghymru Fydd" yn wirioneddol gywir, ac nid dim ond geiriau gwag.

Heddychaeth

Bydd Cymru Fydd yn gwrthwynebu rhyfel, militariaeth a thrais o bob math. Ni fydd yn gwario swm anghymesur o'i chyfoeth ar y lluoedd arfog. Ni fydd yn cychwyn ar ryfeloedd trefedigaethol mewn gwledydd pell, gan draddodi miliynau o ddynion, menywod a phlant i dlodi, anobaith neu sefyllfa waeth byth. Ni fydd yn ildio darnau enfawr o'i thir, llawer ohono wedi'i gipio drwy rym oddi wrth ei warcheidwaid hanesyddol, i hyfforddi dynion, menywod a phlant yn ffyrdd rhyfela mecanyddol. Ni fydd yn cyfaddawdu ar ei hetheg a'i moeseg trwy hyfforddi milwriaethwyr tramor i fomio eu dinasyddion eu hunain. Ni fydd ganddi ataliad niwclear annibynnol.

Bydd gan Gymru Fydd lu hunan-amddiffyn o faint priodol a fydd, o dan amodau arferol, heddychlon, yn cael y dasg o gadw heddwch rhyngwladol, ymateb i argyfyngau ac ymdrechion dyngarol. Bydd y llu hunan-amddiffyn hefyd yn bartner pwysig mewn ymateb i argyfyngau domestig, er enghraifft ymateb i lifogydd a achosir gan newid hinsawdd, yn ogystal ag arwain ar ymdrechion i wella'r amgylchedd naturiol, er enghraifft ailgoedwigo a phlannu coetir cynhenid.

Terfyn

> "Os na fydd y chwyldro yn cychwyn o'r gwaelod, os na fydd yn ehangu 'sylfaen' y gymdeithas nes iddi ddod yn gymdeithas ei hun, yna dim ond *coup d'état* ydyw. Os nad yw'n creu cymdeithas lle mae pob unigolyn yn rheoli ei fywyd dyddiol, yn lle bod bywyd dyddiol yn rheoli pob unigolyn, yna mae'n wrth-chwyldro. Ni all rhyddhad cymdeithasol ddim ond digwydd os yw'n hunan-ryddhad ar yr un pryd – os yw'r mudiad 'torfol' yn hunan-weithgaredd sy'n cynnwys y radd uchaf o hunan-newid a hunan-ddeffroad."
>
> *Murray Bookchin*[54]

At ba ddiben yr wyf yn cynnig chwyldro? Os er mwyn ail-greu anghydraddoldebau ac anwireddau'r wladwriaeth Brydeinig ar raddfa Gymreig, yna nid yw'n werth ei wneud. Sail y chwyldro yw cael gwared o hierarchaeth, rheolaeth gan un dosbarth a gorfodaeth; er mwyn adeiladu Cymru fel gwir ddemocratiaeth gyfranogol, wedi'i hadeiladu ar sail ymdeimlad o degwch a chymuned, lle gall dinasyddion fyw bywydau hapus a boddhaus.

Mae'r chwyldro yr wyf yn ei gynnig yn gylch rhinweddol hunangyflawnol a fydd yn atgyfnerthu ei hun yn gyson. Bydd y ffocws ar degwch, a rhoi hawl cyfartal i bob dinesydd

[54] Murray Bookchin, *Post-Scarcity Anarchism* (t173)

i'r dulliau sy'n ofynnol i fyw bywyd llewyrchus, yn arwain at gymdeithas fwy cyfartal trwy ddiffiniad. Ac mae Cymru yn wlad ddigon cyfoethog fel y bydd cymdeithas fwy cyfartal yn arwain nid yn unig at ymdeimlad ehangach o gymuned, ac yn ei sgil gwell agosatrwydd a chysylltiad cymdeithasol, ond hefyd at ganlyniadau gwell o ran iechyd a salwch meddwl, perfformiad addysgol, symudedd cymdeithasol ac yn y blaen – y dulliau materol, cymdeithasol a diwylliannol i fyw bywyd llewyrchus. Hynny yw, cymdeithas decach.

Os yw'r Gymru Fydd i gael ei hadeiladu, yna mae'n rhaid i ddinasyddion Cymru yn y presennol wneud mwy na mynnu ei chael, ond hefyd ei hadeiladu. Fel y dywed Erik Olin Wright: "os mai dyma fydd ein dyfodol, bydd yn cael ei gyflawni gan bobl sy'n gweithredu ar y cyd i'w gyflawni."[55]

> "Ni ellir gwahanu'r broses chwyldroadol oddi wrth yr amcan chwyldroadol. Dim ond trwy hunan-weithgaredd y gellir sicrhau cymdeithas sydd â'r nod sylfaenol o hunan-weinyddu ym mhob agwedd o fywyd... Ni ellir 'cyflwyno' rhyddid i'r unigolyn fel 'cynnyrch terfynol' y 'chwyldro'; ni ellir deddfu na dyfarnu bod y cynulliad a'r gymuned yn bodoli... Rhaid i'r cynulliad a'r gymuned godi o fewn y broses chwyldroadol; yn wir, rhaid i'r broses chwyldroadol fod y ffordd i ffurfio cynulliad a chymuned, a hefyd dinistrio pŵer, eiddo, hierarchaeth ac ecsbloetio."
>
> *Murray Bookchin*[56]

---

55 Erik Olin Wright, *Envisioning Real Utopias* (t370)

56 Murray Bookchin, *Post-Scarcity Anarchism* (tt11-12)

Rhaid inni beidio ag aros am chwyldro, rhaid inni ei greu, trwy ddechrau meddwl yn annibynnol, a gweithredu'n annibynnol, a thyfu'n annibynnol yn y craciau sy'n ymddangos ar hyn o bryd yn system gyfalafol Prydain. Yn fyr, rhaid inni ddechrau sefydlu Cymru Fydd nawr.

Diweddglo

Rhoddwyd llawer o'r pamffled hwn at ei gilydd yn niwedd 2019 a dechrau 2020, cyn i'r pandemig coronafeirws ddechrau gafael. Er bod y byd wedi ei droi â'i ben i waered, o gofio natur y pynciau a drafodir, mae'n llawn mor berthnasol heddiw ag roedd flwyddyn yn ôl. Os unrhyw beth, gyda'r ymchwydd yn y diddordeb mewn annibyniaeth a'r gefnogaeth i annibyniaeth, mae angen y pamffled hwn yn fwy nag erioed.

Fel a nodwyd yn y rhagair, ysgrifennwyd y pamffled hwn mewn ysbryd meddwl iwtopaidd; a benthyg fframiad Simon Sinek, mae'n ymdrin yn bennaf â'r "pam", yn hytrach na'r "sut" neu'r "beth". Fodd bynnag, wrth i'r gefnogaeth i annibyniaeth dyfu, ac yn bwysicach wrth i'r chwilfrydedd ynghylch annibyniaeth dyfu, bydd mynd i'r afael â'r "sut" yn mynd yn fwy pwysig. Mae hyn yn llawn mor wir am faterion economaidd. Mae'n debyg i gwestiynau a oedd heb eu hateb ynghylch economi'r Alban wedi annibyniaeth, ac yn benodol pa arian a ddefnyddid wedyn, gyfrannu at y bleidlais "na" yn 2014. Yng Nghymru, mae'r diffyg a amcangyfrifir yn y gyllideb yn cael ei ddefnyddio'n rheolaidd gan y rhai sy'n gwrthwynebu annibyniaeth fel tystiolaeth fod Cymru yn wir yn rhy fychan ac yn rhy dlawd.

Ers imi roi fy meddyliau ar bapur i ddechrau, rydw i a llawer un arall wedi cael ein hargyhoeddi mai un "sut" sydd gyda'r mwyaf hanfodol i sicrhau'r Gymru Fydd a ddisgrifir ar y tudalennau hyn yw drwy gael sofraniaeth ariannol. Bydd yn raid i Gymru Fydd gael ei harian ei hun. Nid diweddglo pamffled byr yw'r lle i ymhelaethu o blaid ac yn erbyn theori ariannol fodern, a hyd yn oed petae, ni allwn obeithio gwella ar ddisgleirdeb llyfr Stephanie Kelton, *The Deficit Myth*. Fodd bynnag, mae'n werth dwyn sylw at ddadl allweddol y theori: nid yw cyllideb gwlad sydd â sofraniaeth ariannol yr un fath â chyllideb tŷ neu gartref gan nad oes ganddi'r un cyfyngiadau; chwyddiant – prisiau'n codi – yw'r ffactor gyfyngol i wlad, ac nid y diffyg ariannol.

Mae cyllideb cartref yn cael ei phennu gan incwm y cartref (e.e. cyflogau, budd-daliadau, benthyciadau) gan na all greu punnoedd na doleri. Mae'n rhaid gwneud dewisiadau gwario sy'n ffitio faint o arian mae'n ei ennill ac yn gallu ei fenthyg. Mae'n rhaid i gartref gadw cyllideb fantoledig dros gyfnod o amser.

Nid yw cyllideb gwlad sydd â sofraniaeth ariannol wedi ei chyfyngu yn yr un ffordd am y gall argraffu mwy o arian bob amser: nid oes rhaid mantoli'r gyllideb.[57] Felly dylai newid polisi gael ei weithredu oherwydd "effeithiau economaidd a chymdeithasol ehangach newid polisi arfaethedig yn hytrach na'i effaith gyllidebol gul".[58] Mae'r dull hwn o feddwl economaidd mewn gwirionedd yn eithaf arferol pan ddown at un polisi penodol: ni fydd neb yn cwestiynu o ble daw'r arian i gynnal rhyfel. Yng Nghymru

---

[57] Mewn gwirionedd, mae'r rhan fwyaf o wledydd datblygedig yn cadw diffyg cyllidebol bychan y rhan fwyaf o'r amser. Ers 1970/71 dim ond mewn chwe blwyddyn y mae swrplws wedi bod gan y DU (Llyfrgell Tŷ'r Cyffredin, The budget deficit: a short guide). Awgryma theori ariannol fodern fod diffygion llawer mwy nid yn unig yn bosibl, ond mewn gwirionedd yn fwy manteisiol.

[58] Stephanie Kelton, *The Deficit Myth* (t3)

Fydd, fodd bynnag, rhoddir y meddylfryd economaidd hwn at well defnydd, trwy ddarparu ar gyfer anghenion ei dinasyddion.

Ar ben hynny, gan y gall argraffu mwy o arian pan fydd angen, gall gwlad sydd â sofraniaeth ariannol osgoi tynged cartrefi sy'n gwario mwy o arian nag y maent yn ei ennill, a thynged tair gwlad a ildiodd eu sofraniaeth ariannol i ymuno â'r Ewro – Groeg (2012, 2013, 2015), Iwerddon (2013) a Phortiwgal (2013) – yr unig wledydd datblygedig i ddiffygdalu yn y tri degawd diwethaf.

Fel y noda Stephanie Kelton, fodd bynnag, nid oes cinio am ddim: "Er nad oes cyfyngiadau *ariannol* ar y gyllideb wladol nid yw hynny'n golygu nad oes cyfyngiadau *go iawn* ar yr hyn y gall (ac y dylai) llywodraeth wneud. Mae gan bob economi ei therfyn cyflymder mewnol ei hun… fodd bynnag, nid yw'r terfynau ar allu ein llywodraeth i wario arian, ond yn y pwysau o ran chwyddiant a'r adnoddau yn yr economi real."[59] Chwyddiant yw'r cyfyngiad, nid cyllideb fantoledig.

Os gall Cymru Fydd argraffu mwy o arian i dalu am ei pholisïau, megis ISD neu ddarparu gofal iechyd a gofal cymdeithasol i bawb, pam codi trethi ar ddinasyddion o gwbl? Mae yna nifer o resymau pwysig dros godi trethi, sydd y tu hwnt i gwmpas y drafodaeth hon, ond mae dau sy'n werth eu crybwyll. Y cyntaf yw bod trethiant yn tynnu pŵer prynu oddi wrth y dinasyddion, fydd yn help i gyfyngu ar y pwysau chwyddiant y ceir sôn amdanynt uchod, fyddai fel arall yn codi oherwydd lefelau gwariant uwch gan y llywodraeth. Yr ail yw bod codi trethi yn ffordd bwerus

[59] Stephanie Kelton, *The Deficit Myth* (tt3-4))

ac effeithiol i newid y dyrannu ar gyfoeth ac incwm, lifer pwysig wrth greu'r gymdeithas decach a drafodir trwy'r pamffled hwn.

I gloi, mae'n werth holi beth yw pwrpas yr economi. Yn rhy aml mae'r "economi" yn cael ei thrafod fel rhywbeth ynddi ei hun ac er ei mwyn ei hun, gyda pholisïau yn cael eu gweithredu i gefnogi neu i hybu'r "economi". Meddwl tu chwyneb yw hwn. Dylai polisïau gael eu gweithredu sydd o fantais yn faterol i Gymru Fydd. Unig le'r economi yw bod yno i gefnogi'r amcanion hyn.

Darllen pellach

Barnham, Keith, 2014, *The Burning Answer: A User's Guide to the Solar Revolution*, W&N

Bookchin, Murray, 2004, *Post-Scarcity Anarchism*, AK Press

Biehl, Janet, 2015, *Ecology or Catastrophe: The Life of Murray Bookchin*, Oxford University Press

Graeber, David, 2019, *Bullshit Jobs: The Rise of Pointless Work, and What We Can Do About It*, Penguin

Hooks, Bell, 1994, *Love as the Practice of Freedom, Outlaw Culture: Resisting Representations*, Routledge

Kelton, Stephanie, 2020, *The Deficit Myth: Modern Monetary Theory and How to Build a Better Economy*, John Murray

Klein, Naomi, 2008, *The Shock Doctrine: The Rise of Disaster Capitalism*, Penguin

Kropotkin, Peter, 1902, *Mutual Aid: A Factor in Evolution*, Freedom Press

Levitas, Ruth, 2013, *Utopia as Method*, Palgrave MacMillan

Öcalan, Abdullah, 2012, *War and Peace in Kurdistan*, Transmedia Publishing

Öcalan, Abdullah, 2015, *Democratic Confederalism*, Transmedia Publishing

Öcalan, Abdullah, 2017, *The Political Thought of Abdullah Öcalan: Kurdistan, Woman's Revolution and Democratic Confederalism*, Pluto Press

Piketty, Thomas, 2014, *Capital in the Twenty-First Century*, Harvard University Press

Price, Adam, 2018, *Wales – The First and Final Colony*, Y Lolfa

Richards, Rhuanedd, 2019, *Gwladgarwr Gwent*, Y Lolfa

Sinek, Simon, 2011, *Start With Why: How Great Leaders Inspire Everyone To Take Action*, Penguin

Thomas, R. S., 2009, *Identity, Environment, Deity*, Manchester University Press

Wilkinson, Richard, and Pickett, Kate, 2009, *The Spirit Level – Why Equality is Better for Everyone*, Penguin

Williams, Raymond, 2008, *Who Speaks for Wales? Nation, Culture, Identity*, University of Wales Press

Wood, Leanne, 2017, *Y Newid Sydd ei Angen*, Plaid Cymru

Wright, Erik Olin, 2010, *Envisioning Real Utopias*, Verso

Wright, Erik Olin, 2019, *How to Be an Anticapitalist in the 21st Century*, Verso

THE BLACK BOOK OF THE NEW WALES

For a better Wales

Foreword

> "For those who still think that utopia is about the impossible, what really is impossible is to carry on as we are."
>
> *Ruth Levias*[1]

This pamphlet is written in the spirit of utopian thinking: its purpose is to question *what is*, and to envision *what could be*. Some of the ideas presented are a radical departure from the status quo, while others are becoming part of orthodox leftist thinking. Similarly, some have precedents in current or once-existing organisations and institutions, while others have only been trialled, or indeed have not yet existed. While the details of how we can get from *here* to *there* are important, in fact are essential if we are ever to reach that destination, the primary concern initially is in articulating what *there* could look like.

As Rhuanedd Richards describes the late AM Steffan Lewis' approach: "his thinking was that we needed to overcome despair or apathy by introducing new ideas and a clear vision."[2] This pamphlet is my attempt to do exactly that.

1 Ruth Levitas, *Utopia as Method* (pxii)

2 Rhuannedd Richards, *Son of Gwent* (p72)

Truisms

> "An absence is how we become surer
> of what we want"
>
> *R. S. Thomas*[3]

In the New Wales everyone will have equal access to the material, social and cultural means necessary to live a flourishing life; future generations will have at least the same access as the present generation.

In the New Wales everyone will have an equal right to the means necessary to participate meaningfully in decisions that affect their lives.

In the New Wales people will cooperate with each other because of a genuine commitment to the wellbeing of others, and the sense that it is the right thing to do.

[3] R. S. Thomas, *Identity, Environment, Deity* (p178)

Introduction

> "Only a crisis – actual or perceived – produces real change. When that crisis occurs, the actions that are taken depend on the ideas that are lying around. That, I believe, is our basic function: to develop alternatives to existing policies, to keep them alive and available until the politically impossible becomes the politically inevitable."
>
> *Milton Friedman*[4]

> "It is much more difficult to formulate unifying demands around positive alternatives than around dismantling existing oppressive arrangements."
>
> *Erik Olin Wright*[5]

A New Wales is needed: the current situation is not tenable. Wales is a rich country, whose people are living in poverty. Despite being part of the fifth largest economy in the world, a quarter of our people do. In some areas the proportion of children living in poverty is one in every two. Wales' productivity, as measured by GVA per capita,

---

4 Milton Freedman, *Capitalism and Freedom* (pix)

5 Erik Olin Wright, *How to Be an Anticapitalist in the 21st Century* (pp65-66)

is less than three quarters of the UK average, while the City of London's productivity is 24 times that of our poorest region, the Isle of Anglesey.[6] Wales is a net energy exporter, but communities live in fuel poverty. Our life expectancy is falling. The suicide rate is increasing, particularly amongst young people. The UK is failing Wales, and Wales is failing its citizens.

However, none of this is inevitable. A New Wales is possible. A New Wales which is prosperous, which is kind, which is fair, and which is sustainable.

Change is coming: it is inevitable. A constitutional crisis which began with the 2014 Scottish independence referendum and was reinforced by the Brexit vote, has been brought into sharp relief by the current coronavirus pandemic, as citizens of the three devolved nations see tangible, concrete benefits to self-rule. The break-up of the United Kingdom is accelerating as Scotland marches towards independence, and the calls for a border poll, which will see the reunification of Ireland, grow louder by the day. Very soon we in Wales will be faced with the stark choice: to be subsumed into a Greater England, an England which is turning in on itself, or to "claim our place as an equal amongst the nations of Europe and the rest of the world."[7] Former First Minister Carwyn Jones has said that there will be "no future for England and Wales" if Northern Ireland and Scotland leave the UK, and that "we may end up independent by default" if England decides to

---

6 ONS, Regional economic activity by gross value added (balanced), UK: 1998 to 2017

7 Adam Price, speech at AUOBCymru March for Independence, May 2019, Cardiff

go it alone.[8] And so, if independence, then what?

This pamphlet seeks to answer that question, by setting out a positive alternative vision for a new post-crisis Wales. The goal is to describe the type of country that Wales could be. This vision of a better Wales is needed so that when Wales wins its independence, and the shock of the UK's demise hits, we can avoid the mistake of replicating the imbalances, inequalities and unfairness of the UK, albeit on a smaller scale. This vision of a better Wales is needed so that when Wales wins its independence it becomes truly independent.

> "Real independence is a time of new and active creation: people sure enough of themselves to discard their baggage, knowing the past as past, as a shaping history, but with a new confident sense of the present and the future, where the decisive meanings and values are made."
>
> *Raymond Williams*[9]

---

[8] Carwyn Jones: Wales 'not too poor to be independent', August 2019, BBC Wales

[9] Raymond Williams, *Who Speaks for Wales? Nation, Culture, Identity* (p9)

The normative values of the Welsh revolution[10]

> "All the successful revolutions of the past have been particularistic revolutions of minority classes seeking to assert their specific interests over those of society as a whole."
>
> *Murray Bookchin*[11]

> "The generalised revolution can produce an organically unified, many-sided community."
>
> *Murray Bookchin*[12]

The Welsh revolution will be a generalised revolution – complete and totalistic. It will not be for the minority classes, it will not be by the majority, rather it will be by and for the totality. The outcome of revolution will be that everyone has the material, social and cultural means to live a happy, meaningful and fulfilling life – a flourishing life. Fairness will be a necessary consequence of the participative nature of the revolution. As a result, people

[10] Throughout this pamphlet the phrase "revolution" will be used in its broader, sociological meaning as the change in the structure and nature of society.

[11] Murray Bookchin, *Post-Scarcity Anarchism* (p2)

[12] Murray Bookchin, *Post-Scarcity Anarchism* (p2)

will cooperate with each other, instead of competing, out of a deep-seated sense that it is the right thing to do. These are the three normative values on which the New Wales will be built: fairness, democracy and community.[13]

Fairness

Wales has a long history of standing up for the twin values of equality and fairness. Rebecca and her Daughters rioted at the perceived unfairness of toll gates and higher taxes, Merthyr rose due to the unfairness of wage reductions and redundancies at the ironworks, while Aneurin Bevan founded the NHS to give everybody equal access to healthcare. Equality and fairness are in our history and are in our DNA.

But what exactly is equality and what is fairness? Equality is not about ensuring equal outcomes or equal opportunity, but is instead about ensuring equal access to all of the means necessary to live a happy, meaningful and fulfilling life. Fairness is broadly about ensuring that nobody is treated differently or less favourably due to sex, race, disability or any other morally irrelevant attribute. It is about everyone, no matter who they are or where they are from, having equal access to these means. Consequently, equality and fairness must also be considered across generations.

As discussed in the introduction to this pamphlet, Wales is currently a very unfair society. The more relevant question is not how is Wales unfair, but why is Wales unfair?

[13] Throughout this pamphlet "community" will be used to mean any social unit within which people feel solidarity and obligations to each other. Though often the case, a "community" need not be geographically rooted.

Successive UK governments have focused investment and opportunity, and consequently wealth and influence, on the south-east of England, to the detriment of the peripheral regions and nations of the UK, and, through the destruction of the environment, to the detriment of future generations. Ideologically, the UK is one of the most neoliberal of all capitalist[14] societies, and so given the inherent tension between those who own capital and those who do not, and the imbalance in power between labour and capital, it is unsurprising that great inequality exists: the rich are rich, in part, because the poor are poor. Trickle-down economics

[14] The terms "capitalism", "socialism" and "statism" are used to describe three alternative forms of economic structure – three forms of "organizing the power relations through which economic resources are allocated, controlled, and used." (p120)
"Capitalism is an economic structure within which the means of production are privately owned and the allocation of resources for different social purposes is accomplished through the exercise of economic power. Investments and the control of production are the result of the exercise of economic power by owners of capital." (p120)
"Statism is an economic structure within which the means of production are owned by the state and the allocation and use of resources for different social purposes is accomplished through the exercise of state power. State officials control the investment process and production through some sort of state-administrative mechanism." (p120)
"Socialism is an economic structure within which the means of production are socially owned and the allocation and use of resources for different social purposes is accomplished through the exercise of what can be termed 'social power'... power rooted in the capacity to mobilise people for cooperative, voluntary collective actions of various sorts in civil society." (p121)
Using these definitions, it is clear that no real existing economy has been or is purely capitalist, statist or socialist. Instead each economy is a hybrid of all three variables. "The use of the simple, unmodified expression 'capitalism'... is thus shorthand for something like 'a hybrid economic structure within which capitalism is the predominant way of organising economic activity.'" (p125) For a more detailed description see chapter 5 of *Envisioning Real Utopias* by Erik Olin Wright

was supposed to pull those at the bottom of society up, but has singularly failed: according to the UK Government's very own social mobility commission, inequality is now "entrenched from birth to work", with social mobility stagnating at virtually all life stages.[15] We see this inequality on a UK-level between nations and regions, but also on a more local level within nations and regions.

In Wales, after twenty years of devolution, and despite the unbroken domination of the nominally left-leaning Labour Party at the polls, what limited powers the Senedd has have been used to recreate that inequality here. Gross inequality is evident both geographically, and through the structure of society. A focus on Cardiff to the detriment of the rest of the country has led, for example, to an exodus of youth from *y Fro Gymraeg* due to lack of investment and consequently a lack of opportunities. A focus on foreign direct investment has brought precarious, low-skilled and low-paid jobs to the post-industrial areas of southern Wales at great public cost. The current approach has failed.

Why does this inequality matter? As Richard Wilkinson and Kate Pickett discuss extensively in their book *The Spirit Level*, above low levels of GDP, levels much lower than we have in Wales, a more unequal society leads to worse health and social outcomes than does a more equal society, regardless of the average level of prosperity. The UK, despite being a very prosperous society, is also extremely unequal, leading to worse outcomes for almost everyone. Inequality can therefore be seen to be incredibly unfair.

The New Wales will be fair and equal because all citizens

---

[15] UK Government, Social Mobility Commission.

will have equal access to the material, social and cultural means to live a flourishing life, no matter where they live, what language they speak, their sex or sexual orientation, their ethnicity, appearance or (dis)ability. Future generations will have at least the same access to these means to live a flourishing life as the present generation.

Fairness directly drives the other two normative values of democracy and community. In a fair society there will not be the type of exploitation that is the hallmark of capitalist societies. While "the quality of social relations deteriorate in less equal societies"[16] and "sociability as measured by the strength of community life... declines",[17] without the need to win at others' expense we will see the opposite effect: a sense of cooperation, solidarity and community will strengthen and embed. And in a fair society people will have "autonomy in the sense of meaningful control over one's own life"[18] – one of the social means of living a flourishing life. The true existence of this autonomy directly leads to the type of participative democracy discussed next.

Democracy

On the 4th November 1839 10,000 Chartists marched on Newport with six demands, among them the right to vote for every man over the age of twenty-one. The beginnings of a representative democracy, but not a true democracy.

So why can't Wales be considered democratic? Wales is nominally a representative democracy, inasmuch as

---

[16] Richard Wilkinson and Kate Pickett, *The Spirit Level* (p51)

[17] Richard Wilkinson and Kate Pickett, *The Spirit Level* (p199)

[18] Erik Olin Wright, *How to Be an Anticapitalist in the 21st Century* (pp12-13)

it elects representatives who sit in the UK's House of Commons, the democratic half of the UK's bicameral legislature. However, in its current situation Wales only elects 40 MPs out of a total of 650, and so gets whichever government the (English) majority votes for. For example, Wales has never voted for a Conservative government yet had to put up with the ravages of Thatcherism and the absurdities of Cameron, May and Johnson. Indeed, as the drowning of Tryweryn starkly showed, even when the elected representatives from Wales were almost unanimous in their opposition, the wants and desires of the English majority won through, and a valley was drowned, and a community was destroyed, and the indigenous culture died a little.

But what of devolution? Daniel Evans advances the argument that devolution "was not designed to revitalise democracy in Wales... It was not designed to lead to further powers."[19] In a textbook example of Gramscian Passive Revolution, devolution was designed to maintain the status quo.

More fundamentally, and equally importantly, everybody's vote is not equally as important. The particularly archaic system of First Past the Post in Westminster renders a significant proportion of the electorate's votes meaningless in terms of outcome, leaving a significant proportion of the electorate voiceless. But more fundamentally still, a representative democracy is only an approximation at true democracy, especially in a capitalist society, as it is open to corruption

[19] Daniel Evans, Devolution's passive revolution, IWA

and vested interests. Elected representatives can and are influenced by the interests of a narrow capital-owning elite, leading to the creation of a self-serving political elite, who further their backers' interests in order to further their own. This is a situation, as in the UK, which is exacerbated when broad swathes of the media are owned by this tiny elite, who purposefully keep the electorate un- or mis-informed.

The antidote is true, participative, democracy. "A democratic society... requires that people should be able to meaningfully participate in all decisions that significantly affect their lives... This does not imply that all people actually do participate equally in collective decisions, but simply that there are no unequal social impediments to their participation."[20] A truly democratic society is one in which people make, or are party to making, decisions about the things which affect them. If a decision affects only one person, then they themselves should be able to make that decision without interference. If a decision affects other people as well, then they should all be parties to the decision, or agree to let others make decisions on their behalf. Clearly, for people to be able to exercise their democratic right in an informed way "politics needs independent media... Freedom of information is not only a right to the individual. It also involves a societal dimension."[21]

Thus, in the New Wales everyone will have an equal right to the means necessary to participate meaningfully

[20] Erik Olin Wright, *How to Be an Anticapitalist in the 21st Century* (p16)
[21] Abdullah Öcalan, *War and Peace in Kurdistan* (p36)

in decisions that affect their lives. There will be a stripping away of the political and economic power of the centralised state. Power will be devolved to the lowest practicable level. People will be directly involved in this type of self-government.

Democracy directly drives the other two normative values of fairness and community. People having a meaningful say on the decisions which affect them is inherently fair, and a group of people cooperating to make joint decisions which collectively affect the group is the basis of community. As stated by Abdullah Öcalan, "democratic politics, by giving different sections and identities within society the opportunity to express themselves and become political forces, reforms political society at the same time. Politics becomes a part of social life once again."[22] We discuss community next.

Community

Wales is made up of a multitude of communities and affinity groups, based on language, geography and a whole host of other factors. These communities have been forged through shared histories, and are shaped by lived experience and collective hopes. While oftentimes distinctions can be used to try to separate us and to put us into conflict – north versus south, or those born in Wales versus those born abroad, for example – Wales as an entity shares much common culture, a collective past, and a shared future. As our football team so eloquently

[22] Abdullah Öcalan, *Democratic Confederalism* (p24)

puts it, "together, stronger".

In ordinary times the value of community can become quite thin, both in respect of strangers in distant places, but also regarding people closer to home. This is a direct effect of the forces of economic self-interest and privatised consumerism. The driving motivation of capitalism is economic self-interest, pitting individuals in competition with others to generate winners and losers – an attitude which necessarily erodes community solidarity. Capitalism also promotes a culture of privatised consumerism, where not only does life satisfaction depend on ever-increasing personal consumption, but where collective consumption is seen as a reduction in personal consumption.

In extraordinary times the value of community can show its dark side, where rigid boundaries are defined between insiders and outsiders, and the values of insiders are held in contrast to, and to the exclusion of, those of outsiders. While these tensions are evident in Wales' history, for example the race riots in Cardiff in 1919, what is also evident is the welcoming of migrants, from English and Irish migrants into the south Wales coalfield in the 19th century, to Syrian refugees today. Our strength is in our diversity: together we are stronger.

Why is a healthy sense of community important? Murray Bookchin described the "banalization and impoverishment of experience in... [an] impersonal mass society."[23] But the importance of community goes deeper than mere impoverishment of experience, though no doubt this is one important effect. Capitalism's pitting

[23] Murray Bookchin, *Post-Scarcity Anarchism* (p6)

of winners against losers in an environment of fear and insecurity has led to the promotion of the individual's interests over community solidarity and support. In turn, given that humans are social creatures, this has led to a broad mental health crisis, as described by Oliver James in *The Selfish Capitalist*, and specifically to an epidemic of loneliness. A significant proportion of young Britons feel lonely often or very often[24] while nearly half of over 65s consider the television or their pet as their main source of company.[25] When considering that the influence of social relationships on the risk of death are comparable to risk factors such as smoking and drinking, and are more significant than factors such as inactivity and obesity,[26] this is a grave and indeed sad situation. Community matters.

And so, in the New Wales people will cooperate with each other because of a genuine commitment to the wellbeing of others – Bell Hook's conception of love or Kropotkin's mutual aid – and the sense that it is the right thing to do. The New Wales, in Saunders Lewis' words, will be a true community of communities.

"Community and equality are mutually reinforcing, not mutually incompatible."[27] But community not only reinforces the normative value of fairness, but directly drives the other value of democracy:

---

[24] BBC Radio 4 and Wellcome, *The Loneliness Experiment*

[25] *Age UK Loneliness Evidence Review*, July 2015 (p2)

[26] Julianne Holt-Lunstad, Timothy B. Smith, J. Bradley Layton, *Social Relationships and Mortality Risk, A Meta-analytic Review*

[27] Robert Putnam, *Bowling Along* (p358)

"It is easier to accept that all people within some social space should have equal access to the necessary conditions to live a flourishing life when you also feel a strong concern and moral obligation for their well-being... The value of democracy is more likely to be thoroughly realised within political units in which there is a fairly strong sense of community."

Erik Olin Wright[28]

[28] Erik Olin Wright, *How to Be an Anticapitalist in the 21st Century* (p19)

Socio-political and economic organisation in the New Wales

> "Social institutions can be designed in ways that eliminate forms of oppression that thwart human aspirations towards living fulfilling and meaningful lives. The central task of emancipatory politics is to create such institutions."
>
> *Erik Olin Wright*[29]

The normative values provide the foundations of the New Wales. Underpinning these foundations is a radical rethinking of the model of socio-political and economic organisation. As Calvin Jones points out, "the economic structure of post-industrial South Wales is wholly unlike that of still-industrial North East Wales... Anyone who works often in North West Wales knows it is economically (and to some extent socio-culturally) another country. Powys is... Powys."[30] How do we therefore organise –

[29] Erik Olin Wright, *Envisioning Real Utopias* (p6)
[30] Calvin Jones, The Building of Successful Devolution, IWA

socially, politically and economically – in a New Wales in order to ensure that the needs of each of these disparate communities is met?

In the democratic-egalitarian society of the New Wales gone will be the *laissez faire* market-knows-best approach of the UK Conservatives, and gone will be the centralising, statist approach of UK Labour. In their place will be a true bottom-up participatory democracy, with social, political and economic power stripped from the centre and devolved to the lowest practicable level, "bringing control back to the community through shared ownership and local democracy",[31] because "decisions are best made by those who are directly affected by them."[32]

Socio-political organisation

What does "devolution to the lowest practicable level" actually mean? What would such a society look like? Central to the functioning of the New Wales will be a socio-political structure which draws heavily on Abdullah Öcalan's expression of a democratic-egalitarian society: democratic confederalism. Democratic confederalism says that "the people are to be directly involved in the institutionalization, governance and supervision of their own economic, social and political formations."[33] Therefore the development of grassroots democratic structures, based around communities and affinity groups, will be of paramount importance.

---

[31] Leanne Wood, *The Change We Need* (p11)

[32] Leanne Wood, *The Change We Need* (p3)

[33] Abdullah Öcalan, *War and Peace in Kurdistan* (p34)

In practice local decisions will be made locally, at neighbourhood and community level. All citizens will be welcome to, and indeed encouraged to, participate in communal councils, but participation will not be mandatory. Communal councils will send delegates to confederal councils, when decisions require coordination between communities. A national council, or general assembly, will be reserved for decisions only able to be made at the national level, relating to matters such as defence or foreign affairs.

Abdullah Öcalan summarises the approach best in his pamphlet, *Democratic Confederalism*: "[it] is based on grassroots participation. Its decision-making processes lie with communities. Higher levels only serve the coordination and implementation of the will of the communities that send their delegates to the general assemblies."[34] Only this radical kind of socio-political organisation can ensure that the New Wales will be a true, functioning community of communities.

Economic organisation

"Socialism is an economic structure within which the allocation and use of resources for different purposes occurs through the exercise of social power... fundamentally, this means that socialism is equivalent to economic democracy."[35] We can therefore see that economic organisation cannot be split from socio-political organisation. Thus, in the New Wales, many economic

[34] Abdullah Öcalan, *Democratic Confederalism* (p30)
[35] Erik Olin Wright, *How to Be an Anticapitalist in the 21st Century* (p69)

resources will also be organised and controlled at the lowest practicable level. In practice this is likely to take the form of a cooperative market economy, with a diverse mixture of community-based cooperatives, state-owned enterprises where nation-wide monopolies exist, and democratised capitalist firms, in addition to expanded non-market economic organisation. As Erik Olin Wright makes clear, it is "possible for an economic structure to consist of units characterized by social ownership as well as private ownership and state ownership."[36]

Cooperatives and community-owned organisations

Cooperatives

Cooperatives are "an autonomous association of persons united voluntarily to meet their economic, social, and cultural needs and aspirations through a jointly-owned and democratically-controlled enterprise."[37] They can take many forms including consumer cooperatives, producer cooperatives and housing cooperatives, amongst others. They frequently have social as well as economic goals and, even today, play an important part in the global economy.

One of the best known and most successful cooperatives is the Mondragon Corporation, based in the Basque Country. Originally set up in 1956, the group now has over 80,000 worker-owners at 264 businesses

---

[36] Erik Olin Wright, *Envisioning New Utopias* (p116)

[37] International Cooperative Alliance

and cooperatives, covering finance, retail, industry and knowledge sectors, and has annual revenues of over €12bn. Mondragon is not a utopian model as it must still operate within the capitalist system, however it employs measures such as wage regulation, limiting the amount a general manager is paid in relation to a worker-owner on minimum wage, in order to curb the excesses of traditional capitalist enterprises. The result is that Mondragon cooperatives are more profitable than other Spanish companies, and have the highest labour productivity in the country. "The most important lesson [for Wales] from Mondragon's success is that it was founded in one of the poorest and most economically depressed parts of Spain, but has been a significant factor in the Basque Country now being one of the richest parts of the state."[38]

Mutual organisations

Mutual societies are based on the principle of mutuality, but unlike cooperatives members do not usually contribute capital via direct investment. The most well-understood examples are probably building societies in the UK and Australia, set up to provide home mortgages to members. Borrowers and depositors are society members, setting policy and appointing directors on a one-member, one-vote basis.

[38] Leanne Wood, *The Change We Need* (p16)

Community-owned organisations

In the New Wales the state's responsibility for providing specific goods and services – the material means required to live a flourishing life, discussed in the next section of this pamphlet – will involve the active participation of local communities and organisations in state-social partnerships. Community-owned and run organisations will almost certainly involve the provision of caregiving services, including healthcare, childcare and elder care, education, a range of public utilities, and public amenities for community events.

Cwmni Bro Ffestiniog is one such organisation. Twelve social enterprises, employing over 150 people, in Blaenau Ffestiniog have come together under the banner of a community company, whose aims are to promote the environmental, economic, social and cultural development of the area. Cwmni Bro, as it is known, does this by supporting co-operation between the constituent social enterprises, nurturing new social enterprises and working with small business enterprises anchored in the community. It estimates that for every pound received as a grant or loan, 98 pence is spent locally, mainly on wages, and 53% of wages are retained locally.

Cooperatives and community-owned organisations enhance economic democracy for two main reasons: they are variously governed by democratic principles; and, because cooperatives tend to be geographically rooted, the capital invested in much less mobile than in public or private companies, and thus less likely to move elsewhere to avoid regulation or to exploit cheaper labour conditions. The backbone of the economy in the New Wales will be cooperatives and community-owned companies.

State-owned enterprises

In a number of arenas natural monopolies exist where it makes sense for economic activities to be coordinated at the national level, rather than more granularly. Examples would be railways[39] or broadband infrastructure. These state-owned enterprises are only special examples of community-owned enterprises: they are still owned by and run for the benefit of the community, but given the scale of operations the community in this case is the nation. A repeat of public ownership models characterized by a bloated, centralised bureaucracy with minimal accountability to the general public should thus be avoided.

The democratisation of private firms

If the New Wales is going to take its place as a full member of the international community, it cannot (and should not) shut itself off economically from international markets. However, private firms who want to do business in Wales will have to accept a degree of democratisation. Firms already accept a degree of constraints, such as minimum wage laws or health and safety regulations, on their private property rights – these would be extended and deepened in the New Wales in order to advance the values of equality,

[39] Public transport in Tallinn, Estonia, is free to use and is profitable (Maeve Shearlaw, The Tallinn Experiment, *The Guardian*)

democracy and solidarity. Such requirements could, for example, include enhanced employee share-ownership, or having a bicameral board of directors, one elected by shareholders in the conventional manner, and the other elected by workers on a one-person-one-vote basis.

Firms should not look on these requirements as constraints, but instead as opportunities to improve their businesses. Indeed "there have now been a number of large and well-controlled studies... which demonstrate the economic benefits of the combination of employee share-ownership and participation... substantial performance benefits only come when employee share-ownership schemes are accompanied by more participatory management methods."[40]

Non-market economic organisation

In addition to the community-owned and run organisations discussed above, other forms of non-market economic organisation will play an important role in the New Wales. "Libraries... constitute a mechanism of distribution that embodies the egalitarian ideal of giving everyone equal access to the resources needed for a flourishing life."[41] They also encourage other beneficial behaviours, such as designing sustainable products which last, and repair instead of replacement.

A Library of Things already exists in Cardiff. *Benthyg*, which is run by Rumney Forum, a resident led community

[40] Richard Wilkinson and Kate Pickett, *The Spirit Level* (p256)
[41] Erik Olin Wright, *How to Be an Anticapitalist in the 21st Century* (p87)

organisation, and whose motto is "borrow don't buy", has items available to borrow from gardening to DIY, and from IT to maternity-related products. In the New Wales there will be an expansion of these non-market, community-led library-like ways of giving people access to many resources.

Local procurement – the Preston model

In the New Wales "every attempt will be made by the community to satisfy its requirements locally – to use the region's energy resources, minerals, timber, soil, water, animals and plants as rationally and humanistically as possible and without violating ecological principles."[42] A limited but very successful version of this ambition has been operating in Preston, England, since 2012. Locally-focused procurement at anchor institutions, such as the council, university and colleges, has been used to drive demand for locally sourced goods and services, growing and expanding local business and cooperatives, and improving community health and wellbeing.[43] In the New Wales this ambition will be taken further and will be embedded in all communities the length and breadth of the country, as decisions will be made in and by the community, necessarily supporting the economic structures below.

---

[42] Murray Bookchin, *Post-Scarcity Anarchism* (p68)

[43] Centre for Local Economic Strategies, *How we built community wealth in Preston*

Taxation

Taxing wealth

As stated in the introduction to this pamphlet Wales is a rich country, whose people are living in poverty. But, despite an income inequality between Wales and the UK as a whole, the average wealth in Wales is about the same as the average wealth in the rest of the UK.[44] Much of this wealth is unproductive, though, sitting in land and property which could be better used. Therefore, a radical overhaul of the tax system should be implemented, focusing on taxes on wealth which shift the burden onto the richest in society, rather than income taxes, or consumption taxes which disproportionately impact the poorest. As Thomas Piketty painstakingly details in his book *Capital*, the huge increase in wealth-inequality seen since the second world war is due to the compound rate of growth applied to untaxed or insufficiently taxed wealth. Wealth begets wealth. By shifting the burden to the richest in society, by taxing wealth rather than income, we can reverse this rise in inequality, and thus contribute to the building of a fairer society, with all of the positive externalities that this brings.

Devolution of collection

While coordination and harmonisation of taxation between communities, or more likely economic areas, is possible and even likely, the collection and administration of taxes should be devolved to the economic areas themselves. Such

[44] The Resolution Foundation, *The Generation of Wealth*

a system occurs in the Basque Country today, where the provincial councils of Bizkaia, Álava/Araba and Gipuzkoa – the three Basque historical territories – collect and determine the taxes paid by their citizens. Funds would then be kept closer to where they are needed and spent, allowing for innovations such as participatory budgeting, with only a proportion being passed up to a confederal or national level.

Alternative measures to GDP

As argued throughout this pamphlet, we need a revolution in the way that we think about Wales, and about what we want from the New Wales. Capitalism in general, and neo-liberalism in particular, is above all obsessed with economic growth, as measured by GDP. But for what purpose do we want an ever-expanding economy? So that consumers, who are increasingly unhappy working longer and longer hours in jobs that they dislike, can afford to buy things that they don't even need? Too often policies are geared towards growing GDP without sufficient regard to the quality of growth achieved. If we want the New Wales to be a fair, democratic and collaborative country, where everyone has the means to live a flourishing life, we would be better served by focusing our attention on measures that actually indicate whether Wales' citizens are living a flourishing life: above very low levels of GDP, increases in GDP per capita do not lead to significant increases in life satisfaction. We would be better served by jettisoning GDP as a measurement of how well the country and her citizens are doing, and instead focusing on measures of wellbeing, such as those developed by the OECD and adopted by New Zealand. Only then can we be sure that the New Wales is a country worth living in.

The environment

> "We cannot solve the crisis without treating it as a crisis. And if solutions within the system are so impossible to find, then maybe we should change the system itself."
>
> *Greta Thunberg*

Put simply, capitalism is killing the planet. The pursuit of economic growth above all else, and the privatisation of profits coupled with the socialisation of losses, in this case the harms from environmental pollution, has led to the climate emergency. And while the world's youth take to the streets to protest, the world's governments and the world's companies do too little to tackle this crisis. There is growing consensus that we are reaching the point of no return, where the damage done will be so large as to be uncontainable and irreversible, but those in power delay.

Climate change is not an issue which can be addressed by individuals, or on a local or a national level: it requires trans-national cooperation and coordinated effort. But in the same way that individuals should continue to make choices which consider the environmental impact in their everyday lives, even if these behaviours will not avert the crisis by themselves, nations should likewise do all they can to tackle climate change unilaterally, to reverse habitat loss and to protect biodiversity.

A New Wales, one which is built on the three normative values above, will necessarily have a smaller impact on the environment by being a more equal society: more unequal countries have higher ecological footprints, produce more waste and consume more water than those which are more equal. Further, the New Wales has a much higher likelihood of enacting policies which cause little or no impact on the environment than a Wales tethered to a neoliberal UK. The New Wales would focus on more important issues than continual economic growth, it would ensure that its electricity supply was entirely renewable, and that its food system was local and sustainable.

In fact, by definition, the New Wales would have to be environmentally sustainable because one of the normative values of the New Wales is that future generations will have at least the same access to the means to live a flourishing life as the present generation.

The building blocks of the New Wales

"Liberté, égalité, fraternité."

Maximilien Robespierre

The foundations of a New Wales are the three normative values of fairness, democracy and community. But what of the policy choices and decisions that can be built on these foundations in order to deliver a better, more equitable society? We now turn to a non-exhaustive discussion of the building blocks of a new society.

Material means

In the New Wales everyone will have equal access to the material means necessary to live a flourishing life. What constitutes the material means will vary over time and place, and may also vary from person to person, but broadly covers a range of basic products and services which mean that people are kept warm, sheltered, fed, well-educated and in good health. In a market or mixed economy, it implies that people have adequate income to purchase some or many of these things.

Unconditional basic income (UBI)

With UBI, an income sufficient to live above the poverty line would be paid to every citizen of Wales, of every age, without any conditions attached. Other forms of income support would be eliminated, except those connected to special needs, which would greatly reduce the administrative burden of managing a complex system of social security requiring the universal assessment of needs. As it would be a universal payment, made to each and every citizen, it would also eliminate any social stigma attached to "claiming benefits". An unconditional basic income set in this way would logically lead to an elimination of poverty, and would also reduce both economic and social inequality.

UBI would fundamentally shatter the link between meeting a person's basic needs and the wage that that person earns. By providing such a strong safety net, UBI would shield citizens from the likely ravages of automation, would eliminate the risk associated with trying new ventures, and could similarly help support the cooperative market economy. It would allow people to engage in initiatives outside of the currently defined market economy, for example those activities such as caregiving which society does not value in an economic sense, and would allow people to pursue their creative interests outside of the traditional workplace, contributing to a flourishing life and vibrant society.

Food

Wales currently exports most of the food that it produces, and reimports all that it needs, at great environmental cost.

Indeed, food and food-related activities such as intensive and factory farming, storage and transportation all have a large ecological impact, to say nothing of ethics. The Wales Food Manifesto has a different vision for the food system in Wales, one where "everyone can enjoy food that is tasty and nutritious, produced in a way that is in balance with the natural world, so that future generations will also be able to eat well... a food system which provides meaningful employment, produces healthy food, acknowledges cultural traditions and trades equitably with the rest of the world".[45]

This vision describes a food system for Wales and of Wales, rooted in community, and primarily (though not exclusively) producing to meet that community's needs. Such a system would have numerous benefits, from minimising waste to promoting cooperative and community farms, and from ensuring animal welfare to educating our children about the role of nutritious food in leading a flourishing life. The biggest benefit of such a food system, though, is that it would be able to react to local demand to ensure that no citizens of a New Wales went hungry.

Shelter

The existence of rampant homelessness in a constituent part of the world's fifth richest economy is shameful and should be a national embarrassment. The right to adequate housing and shelter will be recognised as exactly that, an indelible right for every citizen in the New Wales.

[45] Wales Food Manifesto

Education

Building the New Wales starts in our schools: "empowerment through education."[46] The primary purpose of education will not be "the socialisation of young people for the successful adoption of a pre-defined work role",[47] but will be tasked more broadly with helping develop them to be rounded, happy, fully participating citizens. Children and young adults will be taught how democracy functions, as an understanding of democracy is vital to being able to take part in it. In addition to the arts and the sciences, they will be taught politics and citizenship, about equality and fairness, relationship building and respect. And they will be taught all of this through the medium of Welsh, as all schools in the New Wales will be free Welsh medium schools: these are the only schools which truly develop bilingualism.

Education goes beyond that provided at school and university. Lifelong learning should be available to all those who want it, going far beyond the retraining and upskilling of workers in order for them to respond to a changing jobs market. In the New Wales lifelong learning will of course encompass hard skills, but will go further to allow people of all ages to develop their interests in and abilities for the arts, crafts, politics, citizenship and more.

Health and social care

"In rich countries, there is no relationship between the amount of health spending per person and life expectancy.

---

[46] Leanne Wood, *The Change We Need* (p28)
[47] David Frayne, *The Refusal of Work* (p15)

But there is plenty of evidence which shows that more egalitarian societies tend to be healthier."[48] By the very nature of society in the New Wales – fair and free, where citizens are not in constant competition with others – levels of health and wellbeing, in particular mental wellbeing, should improve. The provision of joined-up health and social care, free at the point of use, will be a right for every citizen, and will go much further than the current National Health Service. It will focus on preventative measures, on reducing the instances of illness, by promoting both physically and mentally healthy lifestyles. It will also encompass a comprehensive community-based social care service, meeting the needs of the elderly, those with mental or physical disabilities, and those with substance misuse issues, amongst other services to support both children and adults. It will make use of many other policy areas, such as education, the food system and the provision of recreation, to ensure a joined-up approach to wellbeing throughout a person's life and into old age.

Recreation

One of the great injustices of more than a decade of austerity is the reduction in free-to-use recreation facilities. Youth clubs have shut, libraries have shut, council-run facilities have been cut back and public space has been sold off to private concerns. Funding for the arts has been slashed and several plans have been floated, by councils desperate for funds, to charge people to access

[48] Richard Wilkinson and Kate Pickett, *The Spirit Level* (p81)

public parks. Given the positive externalities that these examples produce – benefits to the broader community over and above the benefits to the individual consuming the services themselves – these short-sighted policies have been disastrous. They have contributed to the declining levels of physical and mental health of individuals, and the decreasing level of community spirit seen since the financial crisis.

The New Wales would see a reversing of the privatisation of shared public spaces and an expansion of community-owned and run leisure facilities. Communities will be encouraged and empowered to provide those services that best meet the needs and demands of the communities themselves, delivering on every citizen's right to leisure, recreation and cultural activities.

Energy

Already half of Wales' energy production is met from renewable sources. But, as argued by Professor Emeritus Keith Barnham in his book *The Burning Answer*, all of Wales' current energy demands could be met by a combination of renewable sources, as a mix of offshore wind, roof-top solar, and bioelectricity making use of the waste from our food system. There is no need for nuclear generation. These types of energy generation could be small-scale, decentralised, community-led and democratically owned. Wales is currently the fifth largest energy exporter in the world, after Canada, Germany, Paraguay and France, yet the citizens of Wales see none of the benefit, as production is owned by private companies. In the New

Wales we could expand our renewable energy generation capacity by, for example, taking advantage of our rich tidal generating potential, to continue to export energy to our neighbours. However, as these schemes would also all be community owned and run, the benefits would accrue to the communities of Wales.

Communication

Given the historically extractive nature of the Welsh economy, and the fact that Wales is on the periphery of the contemporary London-centric UK economy, communications infrastructure in Wales is significantly worse than that needed in a modern nation, with ongoing underinvestment. The main road linking the north and south of the country is a single-lane A-road for much of its length, while to get from the south of the country to the north by rail requires travelling through England.

Surface transportation is one of the biggest contributors to greenhouse gas emissions. By radically rethinking the way citizens and goods are transported around the country, not only can we create a fairer system where everyone has an equal ability to travel as they need and want, but we could dramatically reduce the impact that such movement is having on the environment. Centrally-funded, community-run electric bus services could link into a broader, integrated, green transportation network including rail and active travel options such as cycling, providing nationwide free public transport for all, as we are already beginning to see in countries such as Estonia. This would allow citizens to abandon their cars, to reclaim the towns and cities, and to help green the grey of our roads and carparks.

Modern communications goes beyond transportation. Access to fast, reliable broadband is a must, giving individuals access to a world of information, extending political rights by allowing people to more easily hold authorities accountable, facilitating flexible working, and giving businesses better access to their suppliers and customers. In a New Wales digital infrastructure could be extended country-wide, and free access to broadband for all could be prioritised, for example through public WiFi, libraries and community centres, to help link our communities with each other, and with the wider world, to share ideas, our language and our culture.

Free, accurate and unbiased information, provided by an independent media, is a prerequisite for a functioning democracy. The current grip of a London-centric right wing media can be broken by building on the network of *Papurau Bro* and new media such as Nation.Cymru, and taking inspiration from new newspapers such as *The National* in Scotland, to deliver relevant and impartial news services to the citizens of a New Wales, so that they can make informed decisions about the issues that affect them.

Social means

In the New Wales everyone will have equal access to the social means necessary to live a flourishing life. The social means will almost certainly vary from person to person, but covers the meaningful activities that a person performs, including but not limited to work, the social connections that they have, as well as the recognition that they receive.

Meaningful, fulfilling activities

Paid work is central not only to the functioning of capitalist societies but to their culture: we make numerous judgements and assumptions about a person and their status from their occupation; the workplace provides much of the social connection that people experience; and work is seen as a medium for personal growth and fulfilment. Paid work is also central to the politics of capitalist societies: while GDP growth might be the goal, job creation is the means (ignoring the quality of employment). The Labour Welsh Government is more guilty than most on this count.

The boundary between work-life and home-life is becoming more and more blurred. As workers are increasingly asked to be flexible, "agile" and autonomous (within predefined limits, of course), they are expected to always be on call and always be ready to answer emails, all badged up as "flexible working" and sold to workers as a benefit. But given the precarious nature of life under capitalism, workers accept these terms, as work is central to income distribution: it is the main way we gain access to the means to lead a flourishing life, even if we are too tired and stressed – recovering from work – to lead such a life.

This leads to a broad set of questions, articulated by David Frayne in his book *The Refusal of Work*: "What is so great about work that sees society constantly trying to create more of it? Why, at the pinnacle of society's productive development, is there still thought to be a need for everybody to work for most of the time? What is work for, and what else could we be doing in the future, were we no longer cornered into spending most of our time working?"[49] The questions are particularly pertinent in a post-scarcity society such as Wales.[50]

We have already discussed how in the New Wales UBI will break the link between work and (basic) income. Work will still be available, and workers will still be needed, but the power dynamic between capital and labour will be broken: toil will have been abolished. People will thus be free to perform meaningful, fulfilling activities, including work, as they see fit.

Intimacy/ social connection

Humans are inherently social creatures, but a by-product of a capitalist, work-centred society is an increasing lack of social connection, and rising loneliness and alienation. In the New Wales intimacy and social connection will be promoted in two significant ways: firstly by breaking the link between work and wage, thus allowing people the time and energy to build and maintain meaningful relationships; and secondly due to the social organisation of participatory democracy, rooted in communities and affinity groups (discussed later).

---

[49] David Frayne, *The Refusal of Work* (p13)

[50] The term "post-scarcity" is used to denote the theoretical economic situation in which most goods can be produced in great abundance, so that they become available to all very cheaply or even freely. Post-scarcity does not mean that scarcity has been eliminated for all goods and services, but that theoretically all people could easily have their basic survival needs met. In practice this does not occur due to, among other reasons, misallocation of capital and resources, as well as rent-seeking behaviour.

Social recognition

Recognition, "the social practices through which people communicate mutual respect and validate their standing as moral equals within a society",[51] is not only important for a person's sense of wellbeing, but can be critical for human flourishing. This is because misrecognition, and social stigma connected to any salient attribute of a person, for example class, language or sexuality, "impedes human flourishing even apart from the way those may also obstruct access to the material means to flourish."[52]

In the New Wales citizens will not be judged principally on their capacity to generate economic value, but more broadly on the various contributions made to their affinity groups, their communities, and to society. Citizens will recognise that each and every citizen is an equally valued member of the New Wales, each with a contribution to make.

Cultural means

In the New Wales everyone will have equal access to the cultural means necessary to live a flourishing life. The cultural means broadly encompasses having an understanding of Wales and its history and language, an empathy towards the range of diverse cultures present in the country, and an understanding of how the interplay between the two is the basis for a modern, vibrant nation. We must also place our culture in the wider British, European and global contexts.

---

[51] Erik Olin Wright, *Envisioning Real Utopias* (p16)
[52] Erik Olin Wright, *How to Be an Anticapitalist in the 21st Century* (p13)

Bilingualism

As former Wales footballer and football manager Chris Coleman said, the Welsh language "is part of who we are... this is our national language. Not everyone can speak it, but it's part of our culture."[53] The New Wales will be a truly bilingual nation. Citizens will be able to live every aspect of their whole lives through Welsh or English. Welsh medium education is the only way to develop fully bilingual citizens, ones who are equally able and comfortable in both languages, and so as discussed above every school will be a free Welsh medium school.

History

Malcolm X said that "only a fool would let his enemy teach his children." Mary Angelou phrased it in slightly softer terms, but echoed the same sentiment, when she said, "if you don't know where you've come from, you don't know where you're going." As bilingual citizens of a New Wales we will be taught our history, from the prehistoric men and women mining copper on the Great Orme to the Welsh princes and the Saxon invasion, from being at the heart of the industrial revolution to the complicitness in Empire and the race riots of 1919, and from the founding of the NHS and the radicalism of the 1960s through to devolution. We will know our history not so that we can boast or brag of our superiority, but so that we can leave behind our perceived inferiority. An understanding of our shared history will give us a better understanding of who

---

[53] Golwg360, "Y Gymraeg yn rhan o bwy ydyn ni" meddai Chris Coleman

we are, will cement feelings of community and nationhood, and will allow us to look forward with confidence when building and continually renewing the New Wales.

Cultural diversity

As confident, modern Welsh citizens we will understand how successive series of in-migration over centuries have shaped Wales and its communities for the better. We will continue to welcome and embrace new arrivals with different cultures and histories looking to make Wales their home, so that the phrase "everyone is welcome in the New Wales" carries true meaning, and is not just a group of hollow words.

Pacifism

The New Wales will be opposed to war, militarism and violence of any form. It will not spend a disproportionate amount of its wealth on the military. It will not embark on colonial wars in faraway countries, consigning millions of men, women and children to poverty, hopelessness or worse. It will not give over huge tracts of its land, much of it forcibly requisitioned from its rightful guardians, to training men, women and children in the ways of mechanised warfare. It will not compromise on its ethics and morals by training foreign militaries to bomb their own citizens. It will not have an independent nuclear deterrent.

The New Wales will have an appropriately sized self-defence force which, under normal, peaceful conditions, will be tasked with international peacekeeping, crisis response and humanitarian efforts. The self-defence force will also be an important partner in domestic crisis response, for example responding to flooding caused by climate change, as well as leading on efforts to improve the natural environment, for example reforestation and planting indigenous woodland.

Conclusion

> "If the revolution does not start from below, if it does not enlarge the 'base' of society until it becomes the society itself, then it is a mere *coup d'état*. If it does not provide a society in which each individual controls his daily life, instead of daily life controlling each individual, then it is a counterrevolution. Social liberation can only occur if it is simultaneously self-liberation – if the 'mass' movement is a self-activity that involves the highest degree of individuation and self-awakening."
>
> *Murray Bookchin*[54]

For what purpose am I proposing revolution? If it is to recreate the inequalities and iniquities of the British state on a Welsh-scale, then it is not worth making. The basis for revolution is to dissolve hierarchy, class rule and coercion; it is to build a New Wales as a true participative democracy, built around a sense of fairness and community, where citizens can lead happy, fulfilling lives.

The revolution that I am proposing is a self-fulfilling virtuous circle which will constantly reinforce itself. The

[54] Murray Bookchin, *Post-Scarcity Anarchism* (p173)

focus on fairness, on giving each and every citizen equal access to the means required to live a flourishing life, will by definition lead to a more equal society. And Wales is a rich enough country that a more equal society will lead not only to a better sense of community, and consequently increased intimacy and enhanced social connection, but to better outcomes with regards to health and mental illness, educational performance, social mobility and so on – the material, social and cultural means to live a flourishing life. That is, a fairer society.

If this New Wales is to be built, then the citizens of the present Wales must not only demand it, but must build it. As Erik Olin Wright states: "if this is to be our future, it will be brought about by people acting collectively to bring it about."[55]

> "There can be no separation of the revolutionary process from the revolutionary goal. A society whose fundamental aim is self-administration in all facets of life can be achieved only by self-activity... Freedom cannot be 'delivered' to the individual as the 'end-product' of a 'revolution'; the assembly and community cannot be legislated or decreed into existence... Assembly and community must arise within the revolutionary process; indeed, the

[55] Erik Olin Wright, *Envisioning Real Utopias* (p370)

> revolutionary process must be the formation of assembly and community, and also the destruction of power, property, hierarchy and exploitation."
>
> *Murray Bookchin*[56]

We must not wait for revolution, we must create it, by beginning to think independently, and to act independently, and to grow independently in the cracks that are currently appearing in the British-capitalist system. In short, we must begin the founding of the New Wales now.

[56] Murray Bookchin, *Post-Scarcity Anarchism* (pp11-12)

Afterword

Much of this pamphlet was conceived in late 2019 and early 2020, before the current coronavirus pandemic took hold. While the world has been turned upside down, given the nature of the topics covered, it is as relevant today as it was a year ago. If anything, with the surge in interest in and support for independence, this pamphlet is needed now more than ever.

As stated in the foreword, this pamphlet is written in the spirit of utopian thinking; to borrow Simon Sinek's framing, it is largely concerned with the "why", rather than the "how" or the "what". However, as support for independence grows, and more importantly as curiosity around independence grows, addressing the "how" will become more important. This is no truer than for economic issues. Unanswered questions around Scotland's post-independence economy, and specifically regarding its future currency, are likely to have contributed decisively to the "no" vote in 2014. In Wales the estimated budgetary deficit is regularly used by those who oppose independence as evidence that Wales is indeed too small and too poor.

Since originally committing my thoughts to paper, I and many others have become convinced that one of the most fundamental "hows" of realising the New Wales described in these pages is by having monetary sovereignty. The New Wales must have its own currency. The afterword of a short pamphlet is not the place to expand at length on the pros and cons of modern monetary theory and, even if it was, I could not hope to improve upon the brilliance of Stephanie Kelton's bestselling *The Deficit Myth*. However, it is worth highlighting the key tenet of the theory: the budget of a country with monetary sovereignty is not like a household budget as it is not constrained in the same way; inflation – rising prices – is the constraining factor for a country, not its deficit.

A household's budget is fixed by its income (e.g. wages, welfare payments, borrowing) as it cannot create pounds or dollars. Spending choices must be made which fit in with the amount of money it earns and can borrow. A household must run a balanced budget over time.

The budget of a country with monetary sovereignty is not constrained in the same way as it can always print more money: it does not have to balance its budget.[57] Therefore, a policy change should be enacted due to "the broader economic and social impacts of a proposed policy change rather than its narrow budgetary impact".[58] This way of economic thinking is actually quite orthodox when it comes to one specific policy: no one questions where the money is coming from to fund war. In the New Wales, however, this economic thinking will be put to better use, by providing for the needs of its citizens.

In addition, because it can print more money when

[57] In fact, most developed countries run a small budget deficit most of the time. Since 1970/71 the UK has had a surplus in only six years (House of Commons Library, The budget deficit: a short guide). Modern monetary theory suggests that much larger deficits are not only possible, but are actually favourable.

[58] Stephanie Kelton, *The Deficit Myth* (p3)

needed, a country with monetary sovereignty can avoid the fate of households who spend more than they earn, and of three countries which ceded their monetary sovereignty to join the Euro – Greece (2012, 2013, 2015), Ireland (2013) and Portugal (2013) – who are the only developed countries to default in the past three decades

As Stephanie Kelton points out, however, there is no free lunch: "Just because there are no *financial* constraints on the federal budget doesn't mean that there aren't *real* limits to what the government can (and should) do. Every economy has its own internal speed limit... however, the limits are not in our government's ability to spend money, but in inflationary pressures and resources within the real economy."[59] Inflation is the constraint, not a balanced budget.

If the New Wales could simply print more money to pay for the policies it wants to implement, such as UBI or the provision of comprehensive health and social care, why tax citizens at all? There are a number of important reasons for taxation, beyond the scope of this discussion, but two are worth mentioning. The first is that taxation removes purchasing power from citizens, which will help limit the inflationary pressures mentioned above, which would otherwise come about from increased levels of governmental spending. The second is that taxation is a powerful and effective way to alter the distribution of wealth and income, an important lever in creating the fairer society discussed throughout the pamphlet.

---

[59] Stephanie Kelton, *The Deficit Myth* (pp3-4)

To close, it is worth asking what is the economy for? Too often "the economy" is held up as a thing in and of itself, with policies enacted to support or boost "the economy". This thinking is backwards. Policies should be enacted which materially benefit the citizens of the New Wales. The economy should simply be there to support these goals.

Further reading

Barnham, Keith, 2014, *The Burning Answer: A User's Guide to the Solar Revolution*, W&N

Bookchin, Murray, 2004, *Post-Scarcity Anarchism*, AK Press

Biehl, Janet, 2015, *Ecology or Catastrophe: The Life of Murray Bookchin*, Oxford University Press

Graeber, David, 2019, *Bullshit Jobs: The Rise of Pointless Work, and What We Can Do About It*, Penguin

Hooks, Bell, 1994, *Love as the Practice of Freedom, Outlaw Culture: Resisting Representations,* Routledge

Kelton, Stephanie, 2020, *The Deficit Myth: Modern Monetary Theory and How to Build a Better Economy,* John Murray

Klein, Naomi, 2008, *The Shock Doctrine: The Rise of Disaster Capitalism*, Penguin

Kropotkin, Peter, 1902, *Mutual Aid: A Factor in Evolution*, Freedom Press

Levitas, Ruth, 2013, *Utopia as Method,* Palgrave MacMillan

Öcalan, Abdullah, 2012, *War and Peace in Kurdistan*, Transmedia Publishing

Öcalan, Abdullah, 2015, *Democratic Confederalism*, Transmedia Publishing

Öcalan, Abdullah, 2017, *The Political Thought of Abdullah Öcalan: Kurdistan, Woman's Revolution and Democratic Confederalism*, Pluto Press

Piketty, Thomas, 2014, *Capital in the Twenty-First Century*, Harvard University Press

Price, Adam, 2018, *Wales – The First and Final Colony*, Y Lolfa

Richards, Rhuanedd, 2019, *Son of Gwent*, Y Lolfa

Sinek, Simon, 2011, *Start With Why: How Great Leaders Inspire Everyone To Take Action*, Penguin

Thomas, R. S., 2009, *Identity, Environment, Deity*, Manchester University Press

Wilkinson, Richard, and Pickett, Kate, 2009, *The Spirit Level – Why Equality is Better for Everyone*, Penguin

Williams, Raymond, 2008, *Who Speaks for Wales? Nation, Culture, Identity*, University of Wales Press

Wood, Leanne, 2017, *The Change We Need*, Plaid Cymru

Wright, Erik Olin, 2010, *Envisioning Real Utopias*, Verso

Wright, Erik Olin, 2019, *How to Be an Anticapitalist in the 21st Century*, Verso

Hefyd o'r Lolfa

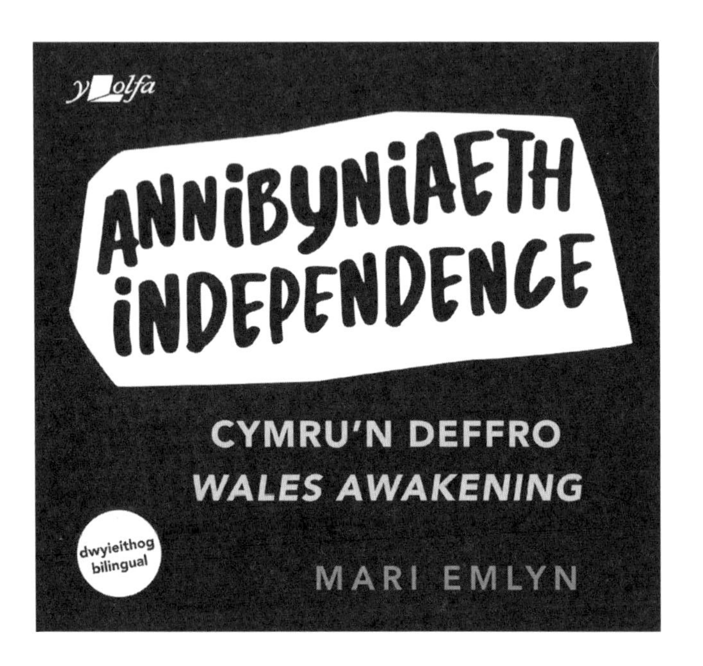